DÉSHABILLEZ-MOI

CATHERINE JOUBERT
SARAH STERN

DÉSHABILLEZ-MOI

Psychanalyse des comportements vestimentaires

Fayard

Ouvrage publié sous la direction de Jacques Angelergues

INTRODUCTION

Les vêtements sont partout : ils se multiplient dans nos placards, envahissent les boutiques, ils s'affichent comme objets de désir dans les magazines, créent des codes sociaux, s'offrent, s'échangent et nous rendent fous les jours de soldes... Leur omniprésence, soutenue par un intérêt général grandissant, peut toutefois étonner et amener à nous interroger : pourquoi prennent-ils tant de place dans nos vies ? Que nous promettent-ils dans leurs plis silencieux que nous n'ayons déjà ? Que cherchons-nous ainsi à compenser ou à proclamer aux yeux des autres ? Comment les utilisons-nous, le plus souvent à notre insu ?

Autant de questions variées cachées derrière le rapport aux vêtements, qui nous ont amenées à nous interroger un soir de soldes et de dépenses effrénées, taraudées par un léger sentiment de culpabilité : d'où venait cette passion des habits qui nous avait poussées, ce jour de juillet en Italie, à nous détourner des Offices florentins pour courir les soldes ? Quelle était la nature de cette excitation, le secret de cette griserie ? Plaisir d'époque ? Sans doute, mais pas seulement, car le vêtement est avant tout un besoin de première nécessité. L'être humain est la seule espèce à renouveler chaque jour sa parure. Et ce choix n'est jamais tout à fait le fruit du hasard, même si l'on croit n'y accorder que très peu d'attention. De même, s'habiller chaque jour de la même façon peut également révéler beaucoup de nous-mêmes à notre insu. Mille et une histoires nous venaient en tête, les jalons du livre étaient posés.

Enfiler toujours la même robe, ne s'habiller qu'en noir, être une fanatique de shopping, garder précieusement les vêtements de ceux qui nous ont quittés, autant de comportements vestimentaires qui dessinent un rapport intime aux vêtements toujours différent, où l'histoire personnelle a la part belle. Derrière une apparente futilité se dévoilent les mouvements intimes et méconnus de nos désirs. Le vêtement, cette seconde peau, appartient à la fois au dedans et au dehors, il protège l'espace intime comme il ouvre sur l'espace social et relationnel. L'habit est en position de lisière, d'interface entre le sujet et le monde, il peut masquer le sujet ou, au contraire, le dévoiler.

La manière de se vêtir est prise dans une histoire : à la fois choix personnel et surdéterminée par notre parcours, elle indique à sa façon la marge de liberté de l'individu par rapport aux siens, sa famille tout d'abord, mais aussi ses pairs, ses relations sociales. Le vêtement suit la trame de la construction de soi, dévoile le rapport à son image. Il accuse le pli des échecs ou bien des réussites de l'édification du narcissisme. On y retrouve la trace des identifications successives, ainsi que le souvenir des premières relations aux autres.

Mais ce travail de décryptage du lien aux vêtements n'est possible qu'au sein d'un contexte donné, pour un sujet pris dans une histoire. Il ne s'agit pas de dire : « Dis-moi comment tu t'habilles, je te dirai qui tu es », mais plutôt d'aider le lecteur, à travers des illustrations issues de la vie quotidienne, à suivre des pistes de réflexion autour d'un élément qui traîne une mauvaise réputation de futilité.

Les histoires liées à l'enfance illustrent quelques-uns des enjeux à l'œuvre dans les choix vestimentaires des parents pour leurs enfants. L'habit recèle dans ses fibres la mémoire des premiers soins maternels. L'enfant est habillé par sa mère, elle-même engagée dans une tradition familiale, habitée de rêves, d'envies, de frustrations. À travers le vêtement, les parents impriment leur marque sur le corps de l'enfant, ils le façonnent inconsciemment selon leur désir. Font-ils de lui un bébé ? un petit adulte ? leur champion en habit de lumière ? Les vêtements portent les stigmates de ces enjeux, dont l'enfant découvrira la signification dans le regard des autres, lorsqu'il quittera le giron familial pour intégrer l'école et la société enfantine. C'est l'âge de la première socialisation, et ses vêtements ne doivent surtout pas le distinguer des autres, mais au contraire le fondre dans le groupe. Avec l'adolescence, le vêtement accompagne l'épreuve de la puberté et permet de masquer ou de révéler la sexuation du corps. L'adolescent se retrouve pris dans l'enjeu de l'autonomisation vis-à-vis des parents. Le vêtement devient le fer de lance de cette appropriation de soi, multipliant les codes et les références au groupe des pairs. Les relations amoureuses introduisent leurs troubles et bouleversent la donne : l'habit séduit ou cache, il dévoile le fantasme au sein du couple. En amitié, on échange par la voie du vêtement des sentiments parfois ambigus. Au fil du temps, les deuils et les pertes sèment quelques habits-souvenirs ici et là, les habitudes se figent. Une vieille dame que la raison abandonne cherche le réconfort des beaux atours.

De la petite fille habillée en garçon à la robe couleur du temps, les vêtements sont un écran sur lequel s'inscrivent jour après jour nos joies et nos peines. Les histoires sont infinies comme l'est la diversité de nos comportements vestimentaires. Peut-être ces quelques réflexions vous amèneront-elles à soulever un peu le voile...

LA LAPINE
OU DU VÊTEMENT COMME MARQUE MATERNELLE

Je n'aimais pas les poupées. Elles m'indisposaient, avec leur regard calme et leur allure d'enfants modèles. Quand j'en découvrais une dans mes cadeaux, je rejetais immédiatement l'intruse au loin pour me concentrer sur des jouets plus intéressants : une tente d'Indien, un kart à pédales qui permettait de parcourir « à toute berzingue » la courette de la maison de mes grands-parents. Mon grand-père semblait presque aussi intéressé que moi par l'engin, dont il ajustait avec soin la longueur des pédales pour mes petites jambes d'enfant. Je tolérais tout juste les peluches pour accompagner mes nuits, sans en élire vraiment une seule : la place était déjà prise par une couverture informe et douce que je défendais contre les lessives.

Les poupées, quant à elles, allaient rejoindre immédiatement le coffre à jouets. Je ne les sortais qu'en désespoir de cause, les longs après-midi d'été. Ce qu'elles avaient de plus intéressant, c'étaient les petites pousses de leurs cheveux, à l'intérieur du crâne, une fois la tête dévissée. La main coincée dans l'étroitesse de ce qui avait été un cou, je tapotais les petites touffes régulièrement disposées sur le caoutchouc rose, ressortant de l'autre côté en une chevelure homogène. Je me demandais, perplexe, s'il en était de même à l'intérieur des autres têtes, celles de mes proches, qui constituaient mon univers familier. Ma sœur, par exemple, de six ans mon aînée, avait des cheveux longs que je lui enviais, alors que je continuais à porter des cheveux coupés court comme un petit garçon. Peut-être qu'à l'intérieur de son crâne, les touffes n'étaient pas plus longues que les miennes, mais je n'avais pour l'instant aucun moyen de le vérifier.

À l'époque, je m'étais résignée, semble-t-il, à cette allure de « garçon manqué », qui avait été inaugurée un samedi d'automne en grande pompe.

C'est un de mes premiers souvenirs : je n'allais pas encore à l'école et mon père avait coutume de s'occuper de moi le samedi matin, en l'absence de ma mère, partie travailler.

Le plus souvent, nous restions tranquillement à la maison, l'un en face de l'autre, occupés à nos activités respectives. Je le surveillais du coin de l'œil, pas tout à fait rassurée par cette présence familière un peu inhabituelle, l'inquiétude cédant parfois le pas à une certaine exaltation, prémices d'une aventure à venir. L'aventure débuta soudain ce jour-là lorsqu'il décida, sans crier gare, d'aller acheter quelques vêtements pour « faire une surprise à maman ». Nous sommes rapidement sortis tous les deux, moi trottant à ses côtés dans l'horizon rassurant de ses jambes de géant. Le haut de son corps de 1,90 m vivait dans d'autres sphères, mais ses jambes athlétiques m'étaient familières, et, quand la fatigue se faisait sentir, je grimpais sur son pied, accrochée à sa cuisse, pour être propulsée au rythme de ses pas.

Du magasin chic de vêtements pour enfants où nous sommes allés ce jour-là, je ne me souviens plus, ni de l'attendrissement des vendeuses devant ce grand homme et sa toute petite fille, qu'il me rapporta des années plus tard.

Je garde en revanche en mémoire la scène de notre retour à la maison.

Maman nous guettait par la fenêtre, inquiète de notre absence. En entrant dans le petit jardin de la résidence où nous habitions, papa me désigna la fenêtre et agita le bras. Elle nous regardait, incrédule, sans répondre à nos signes, et quelque chose dans son attitude frappa mon âme d'enfant. Quelque chose de nouveau, de jamais vu. Elle, si prompte à nous accueillir les bras ouverts, restait soudain immobile, figée, sans réaction. Elle nous regardait toujours, comme suspendue, en attente, et tout l'univers avec elle... D'en bas, sous le feu glacé de ce regard, je basculai au bord du gouffre, hésitante, terrifiée, retenue à grand-peine par la main de mon père. J'étais soudain inexistante, perplexe devant son absence de mouvements, sa sidération soudaine qui me renvoyait à mon absence dans son regard et au monde. Mais son visage, pourtant si familier, restait fermé, sans le laissez-passer de son sourire.

Ce très court instant dura une éternité. Son cri de surprise et de joie n'effaça qu'imparfaitement mon effroi quand elle me reconnut enfin, costumée dans mes vêtements neufs. La petite casquette de velours, assortie à la veste trois-quarts et au petit pantalon gris, avait transformé son enfant chérie en un étranger.

La délivrance n'en fut que plus spectaculaire. Elle courut dans les escaliers à notre rencontre, inondant l'espace sonore de cris et de paroles, déferlant sur moi en une vague de tripotages et de caresses, palpations, coiffant et décoiffant la petite casquette. « On dirait un vrai petit garçon ! » Mon père avait l'air satisfait, j'étais atterrée.

Quelques années plus tard, j'éprouvais un intérêt

tout particulier pour le comportement des lapins dans la ferme de ma tante. Outre ma fascination pour leur comportement sexuel frénétique, j'éprouvais une vive curiosité pour une autre de leurs singularités. On m'avait formellement interdit de toucher les lapereaux avant qu'ils aient atteint une taille respectable ; je tentai quand même l'expérience et remarquai que lorsqu'on les extirpait du nid et les gardait quelques instants dans les mains, ils vivaient à leur retour dans la cage une cruelle expérience. La grosse lapine s'en approchait, soupçonneuse. Quelques instants plus tard, ils flottaient, inertes, dans son bac d'eau.

* *
*

Le vêtement assume ici deux rôles distincts : d'une part, il participe à la détermination de l'identité sexuelle, d'autre part, il permet la reconnaissance de l'enfant par le parent. À cet égard, l'histoire de la lapine qui ne reconnaît plus son petit constitue un écho inquiétant de celle de la mère qui ne reconnaît pas sa fille.

Dans un premier temps, le vêtement prend le relais du questionnement de l'enfant sur son identité sexuelle. La petite fille pose tout d'abord la question à ses jouets, théâtre de ses préoccupations intimes. Puis le vêtement vient à son tour s'inscrire sur le corps de l'enfant pour lui dire quelque chose de son sexe : ses cheveux courts, ses habits de garçon influent sur sa détermination sexuelle psychique. Mais au-delà de la matérialité du vêtement, c'est ce qu'il traduit des désirs parentaux que l'enfant perçoit. Ce dernier est habillé passivement par ses parents pendant les premières années de sa vie. Ses vêtements sont l'occasion pour ceux-ci d'exprimer leurs désirs et leurs projections à son égard, en particulier concernant son identité sexuelle. Combien de petits garçons aux boucles longues et aux brassières de dentelles ont reflété dans les yeux aimants de leurs parents la petite fille qu'ils auraient pu être, combien de petites filles se sont conformées à l'image du « petit garçon manqué » ? Mais manqué par qui ? manqué par la mère, dont le désir revient malgré elle s'inscrire sur le corps de l'enfant ? manqué par le père et le grand-père, qui souhaitent tous deux en leur for intérieur la prolongation de la lignée mâle ?

Dans cette histoire, la petite fille se sent probablement libre de choisir les jouets qui lui plaisent. Pourtant, elle est déjà conditionnée par les désirs parentaux auxquels elle répond inconsciemment en choisissant des jeux de garçon. Le vêtement présente l'avantage de dévoiler le jeu plus directement : le père l'habille en garçon pour se faire plaisir, ou pour satisfaire le désir de sa femme, voire de son propre père. Ce faisant, il tend à rapprocher l'image de son enfant réel et celle de l'enfant qu'il aurait souhaité avoir, sans pour autant pouvoir se l'avouer directement. Le vêtement offre dans une certaine mesure aux parents l'illusion de retrouver l'enfant idéal qu'ils ont en tête.

Ce travestissement satisfait en partie le parent, sur un mode inconscient, sans qu'il perde de vue, consciemment, la vraie identité de son enfant. Cependant, si l'adulte arrive le plus souvent à faire la part des choses entre la satisfaction de son désir et la réalité, qu'en est-il de l'enfant ? Celui-ci est, dès le début de sa vie, le jouet d'un entrecroisement des désirs et des projections identificatoires de ses parents. Le vêtement joue un rôle car il permet de dévoiler en partie ces enjeux inconscients qui se trament autour de lui. Il les lui rend palpables, possibles à appréhender ; ses vêtements lui disent à leur manière les rêves de ses parents le concernant. Ainsi, la magnificence d'une tenue vestimentaire lui dit la fierté de ses parents, leur idéal de réussite à son égard, comme s'il devait tenir des promesses qu'eux-mêmes ont peut-être déçues. L'orientation sexuelle de sa tenue le renseigne sur le sexe de l'enfant qu'attendaient son père ou sa mère. Ces diverses informations s'échangent inconsciemment d'une personne à l'autre, mais constituent peu à peu autour de l'enfant un tissu de désirs parentaux, de modèles identificatoires dans lesquels il lui faudra puiser pour construire ses propres repères. Car malgré la puissance des forces qui s'exercent sur lui, l'enfant garde, généralement, la liberté de ses choix identificatoires.

À l'opposé, dans certains cas pathologiques, quand la sécurité interne de l'enfant est trop fragile, ou la pression extérieure du désir trop forte, trop peu diversifiée, l'éventail des possibles de l'enfant se réduit, au risque d'entraîner de graves troubles identitaires.

Au-delà de la question sexuelle, l'histoire suit un autre fil à travers le vêtement : celui du lien à la mère.

Le vêtement du jeune enfant est souvent l'apanage des soins maternels. La mère s'occupe du corps de son bébé, le lave, l'habille avec les vêtements de son choix, qui portent la trace de son investissement pour lui. Les soins maternels créent un monde sensoriel riche de sensations tactiles, d'odeurs qui imprègnent les habits et les cheveux de l'enfant. Les vêtements portent l'odeur de la mère ; ils témoignent sur le corps de l'enfant de l'attention maternelle, créant ainsi une continuité avec elle, et affirmant le lien qui les unit. La mère et l'enfant forment alors une dyade qui les isole du reste du monde.

L'intervention d'un tiers dans cet univers-là, à travers le choix vestimentaire par exemple, peut alors s'avérer problématique : si le lien entre la mère et l'enfant est fragile et dépend de supports extérieurs comme le vêtement ou les soins, la mère risque de se sentir dépossédée, voire, dans un cas extrême, ne le reconnaît plus comme son enfant.

Dans notre histoire, tout se joue en un instant, celui où la mère, de retour à la maison, pose les yeux sur son enfant sans le reconnaître. La discontinuité s'installe et la petite fille, qui ne se voit plus dans le regard maternel, perd pied, son fragile sentiment d'existence vacille : si elle n'existe pas pour sa mère, elle n'existe plus du tout.

Le vêtement choisi par un tiers – le père – a perturbé l'ordre maternel établi, introduit une étrangeté au sein du couple mère-enfant, et cette étrangeté menace de faire disparaître l'enfant. La lapine de l'histoire vient incarner le fantasme de cette mère dangereuse, omnipotente, qui n'accepte l'enfant que s'il est une partie d'elle-même. Effacer sa trace, son odeur pour lui en substituer une autre est un sacrilège puni de mort. Le vêtement est alors la marque de la mère sur l'enfant, le signe de sa mainmise. Tout écart est vécu comme impossible, dangereux, au sein de la relation folle à son enfant.

Le vêtement choisi par le père signe de façon symbolique l'entrée du tiers dans la relation fusionnelle mère-enfant qui risquerait, en son absence, de tourner à la folie pure.

La mère, dans un premier temps, ne reconnaît pas son enfant désormais « marqué » par le père. Elle suspend son investissement et l'enfant se retrouve au bord du gouffre creusé par son absence dans le regard maternel. Ce qui se joue là en un court instant est affaire de vie ou de mort : va-t-elle reconnaître sa petite fille ou la rejeter, la vouant à une mort symbolique comme le lapereau de l'histoire ?

La mère retrouve son enfant mais les cartes sont changées : le père est présent comme tiers, il interdit l'enfant à la mère en le marquant de son propre sceau et le soustrait ainsi à la fusion exclusive avec la mère en l'inscrivant dans une relation triangulaire. Dans le même mouvement, la mère reconnaît le père comme père de son enfant et accepte de partager l'enfant avec lui.

Cependant, le père intervient ici sur un mode un peu particulier puisqu'il entre en jeu sur le terrain même de l'investissement maternel : en choisissant un vêtement pour sa fille, il inscrit à son tour sa marque sur le corps de son enfant. Ainsi, il redouble le comportement maternel, entrant en compétition avec elle auprès de l'enfant pour réussir à s'immiscer dans le couple mère-enfant qui tend à l'exclure.

En effet, d'ordinaire, le père intervient un peu différemment entre la mère et l'enfant. Il s'oppose à leur relation exclusive en désignant la mère comme sa compagne au sein du couple parental. En dévoilant la femme derrière la mère, il la met hors de portée de son enfant, et introduit l'écart bénéfique de la triangulation de la relation. Il marque l'interdit et engage l'enfant dans un rapport structurant à la loi.

Peut-être cet homme est-il à l'image des pères modernes que l'on dit peu enclins à interdire et à frustrer l'enfant de peur de perdre son amour – perte d'amour dommageable pour leur narcissisme fragile –, concurrençant alors la mère dans les soins dispensés à l'enfant.

LE PETIT CHAPERON ROUGE
OU COMMENT UNE JUPE TROP COURTE ME SAUVA DE MA MÈRE

Certains mardis, en rentrant de l'école, nous trouvions maman, sa tante et son oncle prenant le thé autour d'une table. Celle-ci était dans un désordre inouï. Les vagues successives des collations prises depuis l'heure de leur arrivée avaient sédimenté : du sucré, du salé, encore du sucré. La présence de cette grande-tante présageait pour nous, petites filles, des attentions dont nous n'étions pas coutumières. Tata Yvette ne venait jamais sans un cabas plein de boulettes et de cigares au miel, de nouvelles du Maroc, notamment les dernières disputes entre les sœurs. Ce jour-là, contrairement à d'habitude, elle avait, en plus du cabas, une valise pleine d'habits. La valise contenait les vêtements de ses enfants et des cousins, des vêtements comme nous n'en avions jamais, qui ressemblaient à ceux des enfants de l'école, récents, un peu usés, ni intemporels ni inusables, de qualité approximative peut-être, mais portant la marque de l'époque.

J'avais 8 ans. Je garde le souvenir d'un pull chaussette en acrylique avec des rayures, d'un anorak orange à capuche, autant de choses insolites pour nous. Maman, indifférente, ou plutôt délibérément opposée à la mode, s'inspirait de Velázquez ou du Tintoret pour les coloris, et des actrices d'Hollywood pour les coupes. Elle nous habillait avec des robes tricotées main, trouvées aux puces, des manteaux de fourrure, des mocassins vernis quand plus personne ne portait de vernis. Maman jugeait sans intérêt les vêtements qui nous faisaient rêver sur nos camarades. Ce jour-là, après leur départ, tandis que nous déballions le contenu de la valise, elle repéra une robe rouge avec un petit col blanc, une robe de patineuse. Moi, je ne l'avais même pas vue.

Je me souviens de ce jour comme si c'était hier. Je suis sommée de l'essayer. Dénudant les jambes à mi-cuisse, bien plus haut que l'usage à l'époque, la petite robe me va selon elle comme un gant. Maman est enchantée, agrémente la robe d'un collant et de souliers rouges, et me costume en Petit Chaperon rouge. Je suis invitée à montrer la tenue à mon père. Il me trouve ravissante. Le lendemain, gonflée de leur admiration, de leurs compliments de la veille, je vais à l'école, sûre de mon effet, arborant ma nouvelle robe, un peu excitée. Mais au cours de la matinée, imperceptiblement, l'excitation se teinte d'inquiétude, de doutes. L'humeur du matin, cette discrète euphorie, se ternit et laisse place à l'anxiété. Des regards surpris, des sourires, une ambiance progressivement hostile : je perds le fil du cours. Obnubilée par la longueur de la jupette, je la tire en vain, espérant la rendre décente.

Bientôt, je remarque le regard de la classe entière fixé sur la jupe trop courte. Ils chuchotent, ils ricanent, le brouhaha est immense. Les murmures et les rires se mêlent à la voix tonitruante de la maîtresse. J'attends la cloche de la délivrance, qui m'autorisera à retourner à la maison retirer cette robe ridicule. J'arrive à ravaler des larmes qui jailliront plus tard, sur le chemin. Aux aguets, prête à bondir, je ne pense plus qu'à courir jusqu'à ma chambre, hors de l'arène, loin de leurs regards, dans l'espace reclus de la maison, où il n'y a plus ni honte ni ridicule. Là, nous sommes protégés de l'extérieur par le regard des parents. Le merveilleux dont nous parent les yeux de maman ne tient que dans l'espace de la maison et parfois à son contact. Au-dehors, la situation s'inverse : maman nous expose, elle parle trop fort. Sibille n'est pas coiffée, les frères semblent déguisés en filles, nous sommes ridicules. Et là, oui, les regards sont pour nous, mais pas parce que nous sommes les plus beaux, les plus élégants, seulement parce que nous sommes ridicules, ridiculement voyants.

Je la déteste de ne pas savoir se comporter normalement, d'exagérer, d'en faire toujours trop. J'ai honte d'elle, honte pour elle, honte pour moi, que maman ne ressemble pas à une maman, que toujours les regards se portent sur elle à la sortie de l'école. Pour une raison ou pour une autre : parce qu'elle a un manteau de fourrure trop chic ou une robe trop décolletée, ou qu'elle danse, ou qu'elle a une tache, ou qu'elle arrive la dernière, tellement en retard que la directrice est sortie pour l'attendre avec nous, ou pour une autre raison qui nous aussi nous surprend. Marre de tes surprises, maman...

* *
*

Dans cette scène, le vêtement est le révélateur de l'opposition de deux logiques : d'un côté un imaginaire maternel qui prend l'enfant dans les rets de ses fantasmes, de l'autre une société enfantine mimétique, l'école, où tous ceux qui sont différents se trouvent impitoyablement exclus. Le vêtement de la fillette est marqué de la « folie » maternelle. Ce stigmate, la petite fille le découvre sur elle à travers la robe, objet de fierté qui se transforme sous le regard des autres en objet de honte. Marquée du sceau de l'imaginaire maternel, l'enfant perçoit à quel point celui-ci la singularise et l'exclut du collectif, du groupe des élèves de la classe. Il est pris dans un conflit interne entre la loyauté envers la folie maternelle et la survie dans le groupe. Et s'il pleure, ce n'est pas seulement de rage, parce qu'il a été trompé par sa mère, c'est aussi parce qu'il découvre que ses parents ne savent rien de l'ordre social, que leur jugement ne vaut qu'à l'intérieur de la maison. Fêté par ses parents le soir quand il se prête à leurs fantaisies en revêtant les habits de leur choix, il est rejeté, raillé le matin dans l'enceinte de l'école. C'est dans ce contact abrupt avec la réalité qu'il découvre la défaillance parentale. Tous les parents sont faillibles, mais les enfants ne le comprennent que plus tard, après les avoir admirés, avoir pensé qu'ils savaient et pouvaient tout. Protégeant sa mère de ce nouveau savoir, l'enfant ne peut lui dire combien elle se leurre quand elle croit l'habiller bien. Elle réussit en réalité seulement à l'empêcher d'être comme tout le monde. Les deux univers de l'école et de la maison sont inconciliables.

Pour l'enfant de l'histoire, il s'agit de la découverte de sa solitude. De part et d'autre, il se heurte à l'incompréhension. Sa famille ne perçoit pas le ridicule de sa tenue vestimentaire, l'école n'en voit pas la grâce désuète.

À la maison, l'enfant cherche inconsciemment à combler les désirs de ses parents. Il excelle à interpréter malgré lui leurs scénarios, exécute avec brio leurs fantaisies. Sa jouissance à les contenter, c'est-à-dire le fait d'être leur objet, ne fait qu'augmenter l'excitation collective.

Le regard concupiscent des enfants sur les vêtements de la valise témoigne d'un désir qu'ils ne s'autorisent pas à formuler. Ils perçoivent que les habits sont pour leur mère l'enjeu d'une revendication identitaire. Son goût pour des vêtements datant d'une époque ancienne témoigne du fait que sa référence reste celle de sa propre enfance. La prégnance des images de cette époque est si forte qu'elle fait fi de celles que propose la mode. Cette mère est insensible à l'air du temps. Happée par l'univers de son enfance, elle tend à le recréer et ne peut que dérouler les scénarios de ses fantasmes. Elle ne parvient pas à se mettre à la place de l'enfant et à entendre son désir tu.

À l'école, l'enfant apeuré, confiné dans un espace jugé hostile, voire dangereux, veut s'adapter pour y avoir une place. Il observe et cherche à comprendre les lois qui régissent cet univers. L'école est l'espace social de l'enfant qui veut faire partie du groupe, auquel son appartenance est conditionnée par certains signes de reconnaissance, qui sont parfois en contradiction avec ceux de la famille. Avoir envie d'une place dans le groupe en acceptant les codes, les règles et les usages revient à risquer de trahir l'ordre familial en renonçant à porter les « couleurs » de la famille. Être différent, c'est être rejeté. Se conformer aux excentricités maternelles, hors de la maison, conduit à être rejeté par le groupe comme contrevenant à tous les usages qui le fondent. L'épreuve de cette contradiction peut permettre à l'enfant d'interroger la vérité des jugements parentaux.

La distance d'avec le groupe familial que permet la socialisation par l'école modifie le regard de l'enfant sur ses proches. Ce qui paraît normal dans l'espace familial semble soudain incongru, déplacé, dans l'espace social. Le sentiment de honte né de ce décalage impose à l'enfant de cacher aux yeux des autres la singularité de ses proches, afin d'être admis dans le groupe. S'habiller comme tout le monde permet de ne rien montrer de soi. La petite robe trop courte dénude non seulement les jambes, mais aussi un peu de l'intimité familiale, de « tata Yvette », des désirs de la mère, et expose cet univers à la critique des autres. Il faut tirer sur la jupe, cacher ce qui a été inconsidérément exposé, protéger ce monde familial d'autant plus précieux pour l'enfant qu'il était jusque-là le seul existant, l'unique lieu de toutes les références. Le regard des autres, extérieurs à la famille, introduit un jugement sévère et est douloureusement ressenti par l'enfant. Il cherchera, quoi qu'il lui en coûte, à préserver l'image de ses parents aux yeux des autres et désormais séparera ses deux mondes : l'école et la maison. Aussi, de retour chez elle, la petite fille aux collants rouges ne criera pas sa colère mais ravalera ses larmes et étouffera les reproches qui lui montent aux lèvres. Elle ne dira rien pour préserver la fable familiale, au prix d'une douleur secrète. Elle retirera seulement la robe qu'elle a rendue responsable de sa souffrance.

Un autre aspect de ce vêtement préoccupe la petite fille. La jupe trop courte dévoile ses cuisses et provoque les ricanements de ses camarades. À huit ans, la petite fille sait qu'elle ne doit pas montrer sa culotte. Les autres enfants remarquent que la longueur de la jupette pourrait la laisser voir. Les ricanements témoignent de l'excitation sexuelle sur laquelle la période de latence (cette période qu'on appelle aussi l'« âge de raison », entre 6 et 10 ans) s'efforce de mettre momentanément un voile. Cet élément sexuel est d'autant plus insupportable pour la fillette qu'il lui révèle l'énigmatique désir dont elle est l'objet. La petite fille ainsi déguisée en poupée réjouit la mère qui l'expose au regard des autres. Ce caractère sexuel est présent dans l'investissement de la mère mais il est lié à sa tendresse et à son affection. Délié du sentiment d'amour maternel, tel qu'il apparaît aux autres, il est très angoissant.

La mère façonne sa fille selon son fantasme. Ne plus répondre à cette demande l'expose au désamour maternel, y rester la maintient dans une position d'objet désiré, garant du lien à la mère, mais qui l'emprisonne.

Partagée entre son désir de socialisation avec ses camarades et sa crainte de décevoir l'attente de ses parents, elle traverse un conflit intérieur et ce faisant s'éprouve sujet aux prises de son désir.

PETITE CHEMISE ET SOUTIEN-GORGE
OU LA MUE DES SOUS-VÊTEMENTS À LA PUBERTÉ

Longtemps j'ai porté des petites chemises.

On appelait ainsi une sorte de maillot de corps à petites bretelles ourlées d'un liseré en coton blanc, que l'on mettait sous les vêtements des enfants pour les protéger d'un éventuel refroidissement ou de toute autre maladie enfantine. Plus vraisemblablement surtout pour apaiser les inquiétudes maternelles. En plus de tenir chaud, la chemisette, assortie à la petite culotte, se devait d'être d'une propreté irréprochable. De couleur claire, la tenue trahissait les douches hâtives, l'engloutissement rapide et dissimulé de Choco BN dont les miettes se prenaient aux mailles serrées du tricot, ou bien encore révélait des taches plus suspectes sur le fond innocent de la culotte. Surveiller et maintenir la blancheur de cette tenue de base constituait un enjeu domestique majeur : la mère s'employait à « récupérer » les culottes et chemisettes tachées pour leur rendre une propreté absolue et rassurante, grâce aux miracles technologiques des lessives modernes. On les renouvelait en cas d'usure excessive ou de tache résistante.

Chaque soir, en prévision du lendemain, on sortait une petite culotte et une petite chemise impeccables, base de l'habillement, qui pouvait ensuite être laissé à la libre fantaisie de l'enfant. Cette restriction, si minime fût-elle, et pour ce qu'elle témoignait d'allégeance aux lois maternelles, était sujette à maintes discussions. Ainsi, l'été, j'attendais et réclamais avec impatience la fin du règne de la chemisette, qui ne s'interrompait qu'en cas de grosse chaleur. La marque de ce vêtement d'enfant sous un tee-shirt ou un chemisier était pour moi le signe indélébile de l'appartenance au monde des petites, que j'avais hâte de quitter.

Ma mère considérait cependant qu'il était trop tôt pour abandonner la chemisette et passer à autre chose. « Autre chose », c'étaient les soutiens-gorge de ma sœur aînée, à petite dentelle fine ou en soie rose, dont le raffinement supposait un monde de délicieux secrets chuchotés aux oreilles amies et consignés dans un carnet Liberty à cadenas. J'épiais avec envie la moindre parcelle de cet univers fantastique et étais passée maître dans l'art de surprendre les confidences, de trouver les clés cachées et de dissimuler mon savoir. Je me sentais l'âme d'un ethnologue en exploration dans une contrée lointaine où les us et coutumes étaient poétiques et étranges, ainsi que vaguement ridicules. Bien qu'attirée, je m'en sentais encore tout à fait étrangère. Je savais qu'un jour viendrait où j'y aurais moi aussi ma place, mais c'était comme une donnée abstraite, lointaine, aux contours peu précis.

Le drame s'ourdit à mon insu et éclata le jour de mes 12 ans. Comme chaque année, un joyeux tas de paquets s'édifia dans mon assiette au dîner. J'ai oublié tous les présents que j'ai reçus ce jour-là, sauf un : c'était un petit paquet plat que ma sœur avait mis à part et tenait à me voir ouvrir en dernier. Je m'exécutai, confiante, satisfaite de mes précédents présents et jouissant de l'amour des miens regroupés autour de moi. Du papier de soie émergea un minuscule soutien-gorge blanc rayé or avec sa culotte assortie. La taille des bonnets était si ridicule qu'il avait dû être difficile à trouver. Ma sœur souriait d'un air étrange et insistant en m'invitant à l'essayer illico. Je m'exécutai, la rage au cœur, défiante, faussement décontractée. L'engin me gratta immédiatement.

Des années plus tard, je le retrouvai intact, quasi neuf, au milieu d'un fatras de broderie anglaise blanche, de soie délicate dévorée de dentelle, de balconnets aux impressions fleuries. J'étais désormais experte dans l'art de décliner les dessous selon les circonstances : tel ensemble à l'ingénue blancheur pour l'intellectuel un rien snob, un semis de fleurettes sur peau bronzée pour l'amoureux des vacances, un ensemble en soie rouge pour les grands soirs. J'avais développé une passion dévorante pour les dessous : je les caressais des heures durant dans les magasins, ils étaient tour à tour doux, riches, suaves, coquins. Je les essayais avec délices dans les cabines feutrées, attentive à éprouver leur qualité tactile autant que leur allure. Ils réconfortaient mes jours de cafard, agrémentaient secrètement mes sobres tenues le jour, pimentaient mes nuits. Pour l'anniversaire de mes meilleures amies, je choisissais souvent une pièce qui m'avait fait rêver moi-même les mois précédents. J'offrais leur premier string aux filles adolescentes de mes amies, au grand dam de leur mère.

Certains de mes amants prenaient plaisir à m'offrir les parures rares et recherchées de leurs fantasmes. L'un me déguisait en marquise décadente dans un flot de dentelle ajourée, échancrée ou fendue, un autre me faisait poser longuement, le buste comprimé dans un corset de satin, des bas retenus par de fines accroches roses et des escarpins aux pieds. Ces mises en scène intimes nous excitaient prodigieusement et il n'était pas rare que les fines lingeries ne résistent guère à l'ardeur de nos désirs.

J'allais parfois avec l'un d'eux essayer des dessous affriolants dans un grand magasin aux cabines spacieuses, guettant avec une gêne mêlée de plaisir le regard désapprobateur des vendeuses du rayon, derrière le rideau de velours.

Chez moi s'accumulaient mes trophées, divisés en trois grandes boîtes, selon le degré de sensualité de l'objet. Malgré leur abondance, il m'en fallait sans cesse de nouveaux, tout neufs, jamais portés, comme si se reconstituait à travers eux ma part d'innocence et de virginité.

Mais la pièce maîtresse de tout mon attirail, celle qui recueillait tous les suffrages de mes amants, était une petite culotte blanche ourlée d'un fin liseré, qui rappelait étrangement une époque révolue.

* *
*

Le lien au sous-vêtement épouse étroitement le lien à l'identité sexuelle et à la féminité.

Le corps de l'enfant est protégé par la mère qui en surveille les émois. La propreté des dessous vise ainsi, au-delà des taches et des microbes, l'éradication des manifestations sexuelles. Le corps reste asexué, maintenu à l'écart de l'éveil sexuel par la carapace protectrice de la petite chemise. Celle-ci est protestation d'innocence et mainmise de la mère sur le corps de l'enfant. La petite fille elle-même, qui pourtant s'y oppose, trouve probablement une certaine sécurité, une réassurance à être enveloppée par ce morceau d'étoffe sorti tout droit des soins maternels, écran à ses pulsions sexuelles qu'il aide ainsi à refouler.

La fillette de l'histoire peut de la sorte s'intéresser en toute quiétude à l'univers adolescent de sa sœur sans se sentir concernée. Le vêtement vient renforcer le déni déjà présent, qui veut faire croire à l'enfant que la sexualité ne le concerne pas.

La puberté, à l'adolescence, prend soudain une valeur dramatique parce qu'elle vient briser le déni de l'enfant vis-à-vis de sa sexualité. Elle surgit à son insu, bruyamment, aux yeux de tous, comme le symbolise la scène du cadeau d'anniversaire. L'enfant semble en être le dernier informé et vit la puberté comme une invasion extérieure : le corps, parce qu'il échappe à la maîtrise du sujet, devient soudain un objet externe, soumis à toutes les projections, souhaits, désirs et déceptions.

Ses métamorphoses deviennent sensibles à travers le regard des autres, qui se modifie peu à peu. La sœur, initiatrice, lui offre son premier soutien-gorge parce qu'elle repère les modifications pubertaires survenues chez sa cadette, et l'invite à la suivre sur le chemin de l'adolescence.

La préadolescente sait et ignore tout à la fois la maturation sexuelle de son corps : elle le voit se modifier, ce qui d'une part lui convient, car cela correspond à sa curiosité sexuelle en éveil après la période de latence. D'autre part, cela lui déplaît car l'événement bouleverse certains acquis jusqu'ici inébranlables de l'enfance. Une dénégation partielle s'installe, à l'image de son ambivalence.

Les enjeux maternels s'en mêlent et renforcent cette dénégation de la préadolescente, il s'agit, pour la mère, de garder son enfant petit, de retarder le temps de la rivalité mère-fille, particulièrement aiguisée à l'adolescence.

Dans ce contexte, il est naturel que ce soit la sœur aînée qui joue le rôle d'initiatrice, plutôt que la mère. Celle-ci, dans la plupart des cas, se résoudra à cette évolution par la suite, quand la transformation corporelle de la petite fille en jeune femme ne pourra plus être ignorée. Elle participera alors à son tour à la transmission ancestrale, de mère en fille, de sœur en sœur, de cet « obscur objet du désir » qu'est la féminité.

Comme si la féminité ne pouvait être appréhendée dans son essence même, c'est à travers ses avatars qu'elle nous apparaît et se transmet. Ainsi, la sœur qui initie la plus jeune aux plaisirs des dessous féminins lui livre sa version de la féminité (car il en existe évidemment beaucoup d'autres), que sa sœur saisit : la stupeur de la cadette marque la justesse du geste de son aînée qui a valeur d'interprétation. L'initiatrice révèle un savoir présent chez la plus jeune mais maintenu masqué par la dénégation. Le soutien-gorge révèle la sexualisation du corps de l'adolescente à ses propres yeux, soulevant le voile de la chemisette.

La jeune initiée découvre alors le plaisir des dessous féminins, ces étoffes intimes dont la caresse soulève des transports comparables aux émois sexuels. L'univers des dessous est un monde sensuel où la vue et le toucher des étoffes se combinent pour créer des sensations voluptueuses et érotiques. Vêtements les plus proches de la peau, ils enveloppent les zones érogènes et le plaisir qu'ils procurent comporte une dimension autoérotique importante.

Ainsi, la sensualité des dessous féminins concentre le plaisir sur certaines parties du corps : la jeune femme apprend à aimer ses seins mis en valeur dans l'écrin du soutien-gorge, la caresse des étoffes éveille ses sens, l'amenant parfois à choisir des culottes trop étroites qui stimulent davantage les zones érogènes. Son intérêt se focalise sur le corps, un corps pubère récemment acquis encore peu familier.

À la puberté, ce corps se développe le plus souvent de manière peu harmonieuse, les bras s'allongent d'un côté tandis que les pieds grandissent, les traits du visage s'affirment, les caractères sexuels secondaires, comme les seins et les poils, apparaissent. Si le sujet n'est plus un enfant, il n'est le plus souvent ni homme ni femme, sorte de créature androgyne en devenir. L'image de soi est bouleversée, malmenée par ces métamorphoses. L'essayage des dessous féminins, avec leur lot de fantasmes associés, peut aider l'adolescente à reconstruire l'image d'elle-même à travers l'identification à une certaine image de femme que véhicule le sous-vêtement. De la jeune fille en fleur à la femme fatale, les sous-vêtements déclinent toute la gamme des identifications possibles susceptibles de réconcilier la jeune fille avec son corps. Ces identifications soutiennent le narcissisme défaillant de l'adolescente. Le miroir lui renvoie alors une image d'elle-même apprivoisée, sortie du chaos des métamorphoses de la puberté. Son corps se féminise, et les dessous viennent symboliser cette féminité mystérieusement acquise.

Devenue femme à son tour, elle transmettra par bribes ce mystérieux savoir à d'autres jeunes filles, dans un échange symbolique autour d'une pièce de lingerie.

Les sous-vêtements participent, dans la seconde partie de l'histoire, au rapport amoureux, dont ils viennent fixer le scénario fantasmatique. La femme en dessous est l'héroïne d'un scénario imaginaire construit seule ou à deux, elle devient objet de désir d'un autre, réel ou fantasmé. Ce capital de désir dont la pare la lingerie fine, tant célébrée par les publicités, l'aide à réinvestir son propre corps pour elle-même et pour autrui.

Dans ce rapport au corps et à la sexualité, l'aspect fétichiste des dessous féminins est également présent. En effet, la lingerie est la dernière chose sur laquelle se fixe le regard avant la vision « traumatique », selon

Freud, du sexe féminin (en ce qu'il témoigne de la castration). Il pourrait alors s'ensuivre une fixation sur la lingerie comme ultime rempart à la vérité « toute nue »...

Une autre équation symbolique de l'inconscient, qui laisse de côté la logique, peut être soulignée dans le rapport entre les dessous toujours renouvelés et l'éternelle virginité.

Voilà qui ouvre tout un champ de réflexion sur nos petites culottes !

QUINZE ANS
OU LA FÉMINITÉ EN HÉRITAGE

On disait de ma mère qu'elle était une très belle femme. On le répétait à l'envi. J'avais quinze ans et je lui ressemblais. On me le serinait comme une promesse, comme un compliment : « Un jour, tu seras belle comme ta mère. »

Je regardais avec effroi ses chemisiers ouverts jusqu'à la naissance des seins, aux tissus si tendus que je craignais toujours que le dernier bouton ne saute, ses jupes découvrant les genoux, hiver comme été, ses sandales qui exposaient ses orteils.

La langueur de sa démarche appelait immanquablement le regard. Son port de tête, son léger déhanchement, ses cheveux épais et blonds qui lui descendaient jusqu'à la chute des reins, le plus souvent lâchés, parfois remontés en un chignon banane : tout, chez elle, était indécent. J'enviais l'élégance discrète des mères de mes camarades. La mienne préférait le rouge, l'or et le strass et portait des robes du soir le jour. Elle voulait qu'on la voie, elle voulait plaire, et elle plaisait. Partout, les yeux étaient rivés sur elle. Elle avait été la reine de mon enfance ; elle était la blessure de mon adolescence.

Petite, j'adorais l'arrogance de sa féminité, j'ajoutais

des parures à ses atours déjà nombreux. Certains soirs, je la regardais sortir avec mon père en costume noir. Je les trouvais beaux, j'étais fière.

Plus tard, je compris que pour ma mère la vie était un spectacle, son public, le monde. En toutes circonstances, même pour aller acheter le pain, chercher mes frères à l'école ou aller au parc, ma mère se faisait belle. À la maison, des miroirs sur tous les murs invitaient à se regarder. La maison était hantée de nos doubles furtifs, ils étaient devenus des ombres. Seul le double de ma mère avait une existence. Une scène, mille fois répétée, reste jusqu'à présent gravée dans ma mémoire. Au moment de sortir, ma mère se figeait devant le miroir de l'entrée, faisait trois pas en avant, un quart de tour, penchait la tête, jetait un regard de biais à la psyché. Elle avait alors un léger pli de la bouche, une imperceptible moue du visage qui me glaçait. Elle exécutait cette sorte de danse rituelle puis s'immobilisait. Elle serrait alors d'un cran sa ceinture, mettait un bandeau, changeait ses escarpins pour des talons plus hauts ou tirait ses cheveux, accusait le rouge des ses lèvres, et sortait enfin victorieuse de son duel avec le miroir. L'attendant, j'observais l'âpreté de son désir de plaire. Parfois, nos regards se croisaient dans le miroir. Elle me demandait mon avis mais je détournais les yeux. Ma réponse consistait en un grommellement désapprobateur : « On y va, maintenant. » Une fois, au passage, j'entrevis une ombre grise en arrière-plan, au fond du tableau ; deux jambes maigres sur lesquelles tombait un large pull bleu marine où on lisait en grosses lettres UCLA, surmonté d'un petit visage chafouin : c'était moi, la noiraude.

Cette pose devant le miroir constituait notre répétition générale, le temps de ses derniers apprêts, juste avant son acclamation sur la scène de la rue. Saluée unanimement par les voisins, le garagiste, l'épicier, le Chinois, elle déroulait ses pas sous leur regard approbateur. J'assistais à son entrée triomphale. Furieuse de son attitude, je surveillais les passants aux regards lubriques que ma mère saluait si généreusement. Je maudissais son inconditionnel succès et veillais au grain, jalouse de ses saluts, du souci qu'elle avait de sa mise, de son reflet dans le miroir qui me laissait chose parmi les choses dans le désordre de l'entrée. Je me rappelais alors la prophétie : « Un jour, tu seras belle comme ta mère. »

* *
*

Ce portrait n'a rien d'objectif. Une mère est racontée par sa fille, une adolescente. L'adolescente raconte dans ce texte deux moments distincts de son histoire. Deux regards se superposent, celui de l'enfant qu'elle a été, pour qui la mère était d'autant plus belle qu'elle était parée, et celui de l'adolescente. La petite fille tenait le rôle de la camériste et se faisait ainsi la complice de l'hystérie maternelle. Elle jouait à la princesse en déguisant sa mère, rêvait à ses ascendants prestigieux. Fille d'une reine, la majesté de sa mère retombait sur elle.

Mais avec l'adolescence, l'image idéalisée des parents se ternit. La puberté a entraîné une libération d'énergie sexuelle qui redonne une ardeur nouvelle aux amours infantiles datant d'avant le déclin du complexe d'Œdipe, à l'« âge de raison ». Mais si l'amour du père se colore de tons plus violents, ce qui flambe, ici, c'est l'agressivité envers la mère, un sentiment de rivalité.

L'adolescente, à l'aube de sa propre transformation pubertaire, s'affole face au corps de la mère, vécu comme obscène. Elle décrit une femme fellinienne qui ne semble pas avoir abdiqué son pouvoir de séduction. Soucieuse de sa mise, elle s'apprête avec soin avant chacune de ses apparitions. Sa fille est d'autant plus sensible à ces préparatifs que pointent désormais la question de sa propre apparence et son désir de faire, elle aussi, son apparition sur la scène des jeux du désir.

Reléguée dans les coulisses, elle observe sa mère, tout au plaisir d'anticiper son succès. Livrée sans merci à son manège, l'adolescente est partagée entre fascination et dégoût. Elle est fascinée car la vision de sa mère aux prises avec son image est une initiation : l'enfant capte chacun de ses gestes. Elle est en proie au dégoût car elle perçoit les appétits maternels. Elle n'est pas dupe de ce que demande sa mère quand elle croise son regard et que cette dernière lui demande son avis sur sa tenue. Ce n'est pas pour elle qu'elle se pare, mais pour les hommes.

Mais quelle est pour la mère la signification de cette scène tant de fois recommencée ? Adresse-t-elle au miroir la question de la marâtre : « Ô miroir, dis-moi qui est la plus belle ? », à l'heure où Blanche-Neige pourrait prétendre la détrôner. Sa visible satisfaction prouverait alors qu'elle est toujours la plus belle. Mais peut-être le rituel du miroir en annonce-t-il un autre. Cette autre scène, que semble anticiper la mère par le plaisir qu'elle montre, pourrait être une scène sexuelle. Tout se passe comme si l'adolescente assistait aux ébats maternels. Or elle en est issue. La vision de la mère face au miroir lui fait entrevoir le tableau qui a présidé à son existence. La représentation chez l'enfant du moment de sa conception est appelée dans la théorie psychanalytique « scène primitive ». Ici, la vision de la mère en train de se parer est trop troublante. Manque le voile qui viendrait recouvrir pudiquement le mystère des origines. Le désir de sa mère, effréné aux yeux de l'adolescente, suscite de l'effroi. Dans la multitude des figures masculines (l'épicier, le Chinois, le garagiste), l'adolescente fait disparaître du champ le père. Que signifie son énigmatique absence ? Ferait-elle de lui un homme insignifiant, et sa propre existence le fruit d'un désir orgiaque, sans destinataire, de sa mère ?

Cette absence pourrait aussi être le moyen pour l'adolescente de préserver le père. Objet privilégié du désir de la petite fille, auquel l'adolescente doit renoncer, son absence du champ serait une manière de le garder, de le soustraire ainsi à la puissance maternelle, et de le garder pour elle. L'agressivité, tue et pourtant manifeste, envers la mère résulte de plusieurs causes. La mère, qui semble préférer les garçons, l'a faite fille : l'adolescente ne peut combler son désir et n'a plus qu'à se tourner vers son père. Mais sur sa route elle retrouve à nouveau la mère qui lui barre le chemin. Évitant la bataille sur le terrain de la féminité, la fille se désiste avec dépit et rancœur. Écrasée, elle ne peut se mesurer à la mère, et se décrit comme une ombre grise aux jambes maigres, au fond du tableau. L'effroi et l'angoisse l'étreignent quand, au faîte de l'exaspération face à sa mère séductrice, la prophétie lui revient en tête. Si l'irruption de cette pensée dans ce contexte la surprend et témoigne de son désir de vengeance, l'effroi vient masquer à sa conscience la part secrète d'envie de prendre à la mère un peu de ce pouvoir qui la fascine autant qu'il la dégoûte : le pouvoir de susciter le désir masculin, le désir du père.

LILA, CHLOÉ ET LES AUTRES
OU CE QUE CACHE LE LOOK DES ADOS

Chloé insiste en fronçant un peu les sourcils, mais le miroir lui renvoie toujours son regard clair, inchangé malgré l'ampleur de la décision qu'elle vient de prendre. Elle qui d'habitude change si rapidement d'aspect, au point d'éprouver un léger choc à chaque fois qu'elle croise son image dans la glace, reste, cette fois-ci, vue de l'extérieur, tout à fait la même. À l'intérieur pourtant, elle vient de prendre une décision cruciale : elle sera comédienne, ou plutôt apprentie actrice, pour faire humble. Elle a trouvé sa voie pendant un stage organisé par la prof de français pendant les vacances de février. Il lui avait alors semblé que tout à coup quelque chose prenait forme en elle. Ses humeurs en berne, ses idées en pagaille, ses rêves un peu fous ont trouvé à s'ordonner autour de sa décision. Déjà, insidieusement, elle a senti ces derniers temps qu'elle changeait presque malgré elle : elle ne s'habille plus de la même manière, a changé de copines, prend des initiatives que ses parents désapprouvent, ce qu'elle n'aurait pas osé envisager auparavant. Comme ce piercing sur la langue, par exemple. Elle a commencé l'été dernier par un petit tatouage autour du nombril, un ange qui pleure. Elle l'a tant aimé que malgré les menaces et la colère de sa mère, elle s'en est fait tatouer un autre, à l'opposé, au creux des reins. En son for intérieur, elle les appelle ses anges gardiens, les consulte pour toutes les décisions importantes, et invente entre eux des dialogues où chacun joue parfaitement son rôle, entre bon et mauvais génies.

Comme l'heure avance, elle se rue dans l'entrée chercher ses clés pour partir au lycée. Une forme fantomatique à l'autre bout du couloir lui tend son trousseau :

— Combien de couches as-tu mis là ? C'est nouveau, ce look ? Un tee-shirt, un pull, une robe, un jean et une veste, ça ne te semble pas un peu trop ? Ma parole, on dirait un oignon ! Au moins, tu n'auras pas froid, mais franchement, ce n'est pas très seyant, ni très féminin.

— À plus, maman.

Dans les rues avoisinantes, à cette heure matinale, des processions d'adolescents à l'allure savamment étudiée se forment après de bruyantes retrouvailles. Les uns arborent des vêtements trop grands, le pantalon plissant aux chevilles avec l'entrejambe aux genoux, un pull s'évasant par-dessus, et la tête recouverte d'un bonnet enfoncé jusqu'aux yeux. Les autres, au contraire, semblent avoir pris un malin plaisir à endosser des vêtements trop étroits pour eux, une veste étriquée aux épaules sur une superposition de tee-shirts collants.

Les groupes s'arrêtent parfois à un carrefour, encombrant tout le trottoir, indifférents aux passants énervés auxquels ils bloquent le passage. Attentifs jusqu'au moindre détail à chacun des leurs, ils sont d'une indifférence absolue à l'égard de la plupart des adultes qui les entourent, évaluant en une seconde et en un regard qui leur semble digne d'intérêt et qui ne l'est pas. Certains échangent des cigarettes, l'air grave, en communion silencieuse autour des premières volutes de la matinée. Ils gloussent ou chuchotent soudain à voix basse, les regards tournés vers l'un d'entre eux, frappé de disgrâce passagère. Un détail d'une tenue vestimentaire semble tout à coup devenir le point de mire de tous, et on en voit plus d'un qui, à l'approche du collège, rebrousse brusquement chemin pour revenir quelques minutes après, essoufflé et débarrassé d'un vêtement soudain jugé inadéquat.

Des bribes de conversations s'échappent des petits groupes rassemblés devant le lycée :

— J'y crois pas qu'elle s'est acheté les Uggs !!! Je peux pas faire un truc sans qu'elle m'imite aussitôt !

— Remarque, tout le monde les a, les Uggs, pas que toi... En plus, ça devient limite ring' comme bottes.

— Pas si c'est des vraies, les ring' c'est les fausses, il y a des imitations partout.

Un petit groupe de filles, très excitées, entourent Chloé. Elles sont pâles, maquillées de khôl noir et savamment décoiffées, avec des mèches enroulées façon dreadlocks d'où pendaient toute une série de breloques. Plusieurs d'entre elles arborent la même superposition de vêtements sombres que Chloé, avec des mitaines en résille et des chaussettes rayées.

— Montre ! Mais montre !

— Gigaaaa ! Qu'est-ce qu'elle a dit, ta mère ?

— Elle a pété les plombs, elle a même téléphoné à mon père pour le prévenir... Mais, de toute façon, je lui avais dit que je le ferais, elle était pas d'accord mais elle était prévenue.

Elle tire une langue boursouflée par un piercing récent.

— Aahh ! c'est cool...

— Ça fait mal ? Moi, franchement, je préfère le sourcil, c'est plus classe.

— Aarrgh, non ! la langue, c'est top ! En plus, c'est sex pour les kiss. Bon, c'est vrai que ça fait un peu mal, je mange liquide pour l'instant, mais c'est nickel pour le régime.

La cloche sonne. Les groupes se fondent en une seule masse vers la porte cochère, en se toisant d'un œil critique. On reconnaît Chloé et ses copines à leurs superpositions de vêtements et à leurs tignasses emmêlées ; le cliquetis des multiples bracelets qui entourent leurs poignets les accompagne partout. Un groupe de filles les regarde passer en silence, finissant leurs cigarettes sur lesquelles leurs lèvres avaient imprimé des marques roses. Contrairement aux autres, elles ont les cheveux coiffés, le teint coloré et lisse, portent des vêtements sexy, souvent de marque, et très moulants, qui découvrent volontiers le ventre ou la chute des reins. Certaines sont en minijupes, d'autres ont des jeans serrés, taille basse, au ras de l'élastique du string. Quelques accessoires de luxe – sac, lunettes siglées – agrémentent leur tenue. On dirait un groupe de Barbies, exagérément sexy, échappées d'un grand magasin. L'une d'elles s'approche rapidement de Chloé, l'air faussement décontracté, pour lui demander quelque chose à voix basse. Chloé fait un signe négatif de la tête et poursuit son chemin. La fille reprend rapidement contenance et rejoint son groupe d'amies qui lui a tourné le dos, sans rien perdre cependant de ce court échange.

— Lila, ça va ? T'as l'air strange... J'ai du mal à croire que vous étiez hyper proches l'an dernier. Elle a l'air tellement nase, cette fille.

— Non, elle l'est pas, mais elle a vachement changé, c'est tout.

Un groupe de garçons, le jean tombant à mi-cuisse pour dévoiler le caleçon, un bonnet en laine sous la capuche, s'échangent furtivement un mégot tout en ricanant sur le passage des filles :

— Lila a dit à Kévin que Rachel voulait bien sortir avec Luc... On peut faire une teuf samedi chez moi, mes vieux se tirent, on invite tout le monde, toi t'apportes de l'alcool, Lucas et Ben se chargent du shit.

— Elle est trop cool, Lila, canon comme fille, hypersex, t'as vu comme elle s'habille, je kiffe un max... mais elle veut rien faire.

Les retardataires arrivent en courant, échangeant des baisers démonstratifs et des accolades avec leurs amis, puis s'acheminent à contrecœur dans l'enceinte de l'établissement.

Lila reste en arrière, l'air absent. Tous sont rentrés maintenant, et si elle tarde encore, les portes vont se refermer jusqu'à l'heure du déjeuner. Elle aperçoit de loin Mathieu, silhouette si fluette qu'on aurait dit une fille, avec ses cheveux un peu longs coiffés en pétard.

— Salut, ma puce... T'as une tête, toi, ce matin ! Oh ! là, là... Bon, viens, on va s' prendre un café, de toute façon, on est en retard.

Lila le suit sans enthousiasme dans le café, marmonne un bonjour collectif et allume une nouvelle cigarette.

— Alors ?

— Ben, rien... J' m'inquiète un peu, j'ai tellement manqué ce trimestre... Ils me laisseront pas passer. Mes parents m'ont prévenue : si je redouble encore, j'irai en pension en Angleterre l'an prochain. Moi, ça m'était égal. On avait dit avec Chloé qu'on irait ensemble...

— Tu vas pas pleurer sur cette morue ! Elle a viré pseudo-artiste, elle s'habille total « gothapouffe » et s'y croit complètement. Elle répète des pièces quinze heures par jour avec Céline. Y paraît même qu'elles vont faire un spectacle à la fin de l'année, *Les Demoiselles savantes*, un truc comme ça.

— Ah bon ? Ben, non, je savais pas... de toute façon, elle me dit pas grand-chose, tu sais, elle me rappelle même pas, je sais toujours pas pourquoi... En plus, elle a plein de fringues à moi qu'elle m'a jamais rendues, et le pire, c'est que l'autre jour, c'est cette grosse vache de Céline qu'est arrivée avec mon pull beige !

— Et qu'est-ce que t'as fait ?

— Ben, j'ai chopé Chloé et je lui ai dit de me rendre toutes mes affaires.

À l'intérieur d'elle, quelque chose se déchire en silence, une douleur qui bat en dedans, sans trouver d'issue. Machinalement, elle joue avec sa cigarette, l'approchant de plus en plus près de la peau tendre de son poignet sur lequel la chaleur laisse des traces rouges. Elle aimerait bien pleurer comme lorsque Fabien l'a laissée tomber. Cette fois-là tout le monde l'a plainte ; Chloé s'est rapprochée d'elle, elles ont passé des soirées entières à discuter de l'immaturité des garçons. Dans le fond, elle n'a pas été tellement triste, plutôt flattée d'être l'objet de tant d'attentions. Elle s'est soûlée de paroles. Cette fois, c'est bien différent : les chagrins d'amitié sont plus silencieux.

* *
*

S'il est un âge où le vêtement a son importance et joue un rôle à plus d'un titre, c'est bien à l'adolescence. Ceux qui côtoient de près ou de loin des adolescents sont familiers de leur surinvestissement des vêtements, des marques, de la mode et plus généralement de l'apparence physique. Pour Chloé et ses amis, le look a une importance identitaire : les vêtements les définissent à leurs yeux et aux yeux des autres. Les superpositions de vêtements sombres, le teint pâle, les breloques et les piercings font partie d'un code vestimentaire repéré et partagé au sein d'un groupe. Plusieurs groupes se croisent dans l'histoire, dont le vêtement constitue le signe distinctif. Entre eux, ils utilisent des noms souvent ignorés des adultes : les uns, comme Lila, sont surnommés les « chal' », et portent des vêtements de marque, siglés, réputés chers. Les autres, comme Chloé et ses amis, seraient plutôt désignés comme des « gothiques », en référence à un style de musique et à une attirance pour un mysticisme morbide, et traités de « gothapouffes » par leurs détracteurs. On croise également des « skaters » ou encore des « surfeurs » aux pantalons baggy tombant sur les cuisses, qui se distinguent des « racailles », au look inspiré par l'univers des banlieues et de la moto, mais aussi des « rastas » ou des « basketteurs »... Autant de styles vestimentaires qui tracent chacun les repères d'une identité de groupe, support de l'identité individuelle.

La scène inaugurale de l'histoire est une scène de conquête de soi devant le miroir, de prise de pouvoir et d'autodétermination. Peu importe ce que lui dit sa mère sur sa tenue, Chloé se sent en pleine création de soi et portée par l'importance de cette tâche. Sa tenue vestimentaire est comme la partie émergée de l'iceberg de ses transformations, signe extérieur du chamboulement intérieur. À travers le vêtement, l'adolescent retrouve en partie le contrôle de son identité bouleversée par le processus de l'adolescence.

D'un côté, le corps se transforme à son insu et se sexualise, de l'autre se produit une modification des repères identificatoires : les anciens modèles sont abandonnés au profit de nouveaux.

En premier lieu, l'avènement de la puberté avec l'apparition des signes sexuels secondaires que sont les poils, les seins, peut être vécu comme une trahison – dans le sens où il ne peut avoir de prise sur ces transformations –, et ce, d'autant plus chez les filles pour lesquelles la transformation pubertaire est souvent plus brutale, avec la survenue des règles en particulier. Beaucoup de jeunes filles souffrent de se retrouver dans un corps de femme alors qu'elles se vivent encore comme des enfants. Le corps se sexualise sans l'accord de la volonté, et quel que soit le stade de maturité affective du sujet. L'adolescent a souvent l'impression que son corps le dévoile aux autres, expose ses désirs, ses émois sexuels : c'est l'époque des rougissements incontrôlables, témoins de la trahison du corps, des focalisations excessives sur un aspect du corps, créant parfois de véritables dysmorphophobies (préoccupation obsédante concernant une partie du corps considérée comme laide ou difforme) et, par conséquent, l'adolescent recherche des vêtements qui cachent ce corps qui se donne trop à voir. Le vêtement offre alors à l'adolescent une solution de compromis face aux transformations pubertaires : puisqu'il ne peut rien contre elles, ni les hâter ni les supprimer, il peut tout au moins les camoufler grâce à ses vêtements. Ainsi, les superpositions de vêtements de Chloé et de ses amis cachent le corps pubère et permettent de jouer avec les signes de détermination sexuelle : la jupe sur le pantalon peut suggérer un individu mi-femme, mi-homme, créature androgyne en devenir. Au contraire, Lila et ses amies s'habillent de manière exagérément sexy, essayant de maîtriser, dans une escalade fréquente à l'adolescence, la sexualisation de leur corps. Comme le suggère le garçon qui les observe, l'invitation de nature sexuelle contenue dans leur tenue n'est pas relayée consciemment : « Canon comme fille, hypersex, [...] mais elle veut rien faire. »

De plus, devenir une femme, c'est entrer en rivalité inconsciente avec la mère. Il est probable que la mère de Chloé, à l'allure fantomatique et probablement dépressive, ne soit pas de taille aux yeux de sa fille à supporter une rivale féminine. Cacher sa féminité sous des superpositions peut être alors une façon inconsciente de protéger sa mère.

Pour l'adolescent, si soucieux de son intimité, l'habit est une enveloppe protectrice, une seconde peau opaque aux regards des autres. Ainsi, porter des vêtements amples, comme certains personnages de l'histoire, permet de mettre les autres à distance, et aide à préserver son espace intime. C'est aussi une des raisons de l'importance accordée aux marques de vêtements à l'adolescence, comme dans le groupe des « chal' » par exemple : elles permettent d'arrêter le regard des autres sur elles, tout en revalorisant l'individu qui les porte. Les marques viennent au secours du narcissisme défaillant et fragile de l'adolescent.

À leur tour, les piercings et les tatouages sont autant de tentatives d'imprimer quelque chose de soi sur le corps qui le rendra unique et assimilable à soi. Cette inscription montre une volonté de contrôle, de maîtrise de son corps. Il s'agit de l'individualiser : « Ce corps-là est à moi et ne ressemble qu'à moi. » Une fois dompté, le corps peut reprendre son rôle de support de l'identité. Mais une identité transformée, remodelée sur de nouvelles identifications. L'adolescence est un moment de remaniement : l'adolescent quitte les identifications qui l'ont accompagné pendant l'enfance et en choisit de nouvelles plus en accord avec ce qu'il ressent, prenant modèle sur ceux qui l'entourent, personnages réels ou de fiction. C'est l'époque des idoles, de la fascination pour les sportifs, les rock stars, les artistes ou tout simplement les copains, doubles de soi-même, qui aident à se construire. Le vêtement est alors plus souvent le lien avec le modèle, on copie sa tenue à défaut d'être lui.

L'amitié de Lila et Chloé n'a pas survécu au fait qu'elles ne font plus partie du même groupe d'amies, car chaque groupe a fortement imprimé sa marque sur l'identité de chacune de ses parties. Le vêtement est le signe extérieur du lien, à un âge où exprimer des émotions ou des sentiments est souvent une gageure que l'on préfère contourner. Partager ses vêtements ou, au contraire, les départager, suit la relation affective et la traduit. La tristesse que ressent Lila fait état de la perte qu'elle ressent : elle perd une amie mais elle perd aussi une partie d'elle-même mélangée au cœur de l'amitié adolescente avec l'autre. Elle se brûle avec sa cigarette, acte automutilatoire sur le corps qui vient prendre la place de sa douleur muette.

LA PLUS BELLE POUR ALLER DANSER OU DES ÉCHANGES ENTRE SŒURS

Il y a des choses, entre sœurs, qu'on ne se pardonne pas : se piquer un amoureux, trahir un secret auprès de la mère, copier de façon trop visible l'allure de l'autre, et bien d'autres choses encore. Cette liste implicite est longue et ne souffre aucune entorse.

Luisa, de trois ans mon aînée, avait su très vite m'inculquer ces lois, sans explication claire, par intimidations successives et persuasives.

En ce qui concerne nos vêtements, par exemple, j'avais interdiction absolue de fouiller dans son placard en son absence, de porter une de ses tenues sans son accord, mais aussi de soudoyer maman pour qu'elle m'achète un modèle qu'elle possédait déjà. La première qui avait vu un vêtement était prioritaire pour l'achat, et paradait avec l'objet du désir sous l'œil envieux de la seconde.

Dans l'intimité de notre chambre, nous procédions à des échanges et à des essayages, non pas pour faire plaisir à l'autre mais pour juger d'un œil critique et objectif l'effet de nos tenues sur elle. Au fil des années, nous possédions une connaissance parfaite du corps de l'autre, de ses qualités comme de ses défauts. Rien ne nous échappait, et nous étions capables de décrire dans le plus infime détail la forme de telle courbe sororale, la couleur bleutée de telle tache de naissance. Nous endossions tour à tour le rôle de juge sévère et d'admiratrice fervente avec une égale ardeur.

Malheureusement, mon impression intime, mille fois vérifiée par des observations à la dérobée, était que le sort m'avait gratifiée d'un physique moins avantageux que celui de mon aînée. Malgré mes efforts pour m'affamer et m'étirer en longueur, mes dimensions n'atteignaient pas tout à fait les proportions de rêve de ma sœur. De ce fait, mes vêtements prenaient sur elle, les ingrats, un air beaucoup plus flatteur que sur moi. Ses seins remplissaient les décolletés, ses jambes allongeaient les pantalons, ses épaules carrées structuraient les vestes alors que les mêmes habits, lorsque je les portais, semblaient rétrécir, se rabougrir d'ennui et perdre tout leur lustre. Mon placard, quoique très rempli, me paraissait toujours vide ou plein de vieilleries sans intérêt comparé au sien, et je gémissais comme une âme en peine « j'ai rien à mettre... » chaque matin, dans l'indifférence générale.

Ses vêtements, contrairement aux miens, ne perdaient jamais leur charme. Par un phénomène mystérieux, ils restaient terriblement attractifs des années après l'achat. Peut-être était-ce parce que ma sœur me les prêtait si rarement qu'ils conservaient leur prestige à mes yeux. Ils gardaient, en plus du parfum entêtant de ma sœur, une aura magique capable de transformer le vilain petit canard que j'étais en créature élégante et raffinée.

Afin de profiter au maximum de ce pouvoir, j'avais développé plusieurs stratégies alliant le mensonge à la dissimulation, la mauvaise foi à la fausse naïveté. L'une de mes stratégies préférées consistait, lorsque nous partions ensemble quelque part, à oublier purement et simplement un maximum d'affaires : sans chemise de nuit, tee-shirt ou short, je me retrouvais dans l'obligation de lui emprunter des affaires de rechange.

Je me souviens d'un jour où, partie pour une fête en province, j'avais sciemment oublié une tenue adéquate afin de puiser dans les trésors de la valise de ma sœur. Elle avait bien sûr la priorité dans le choix mais il me restait quand même quelques bons morceaux. J'avais repéré un magnifique pantalon blanc en tissu moiré, un peu « seventies », et j'optai pour cette trouvaille. Je finis par l'assortir après quelques hésitations avec un dos-nu en coton simple et sexy de ma garde-robe, qui bénéficiait d'un coup de neuf grâce à ce nouvel assemblage. J'enfilai une veste pour le trajet, ravie de l'effet produit.

Luisa, en robe de sirène pailletée, n'avait pour une fois pas fait trop de difficultés à me prêter son pantalon, satisfaite elle-même de sa tenue. Elle m'observait avec circonspection évoluer en face du miroir au rythme d'une musique imaginaire. Le pantalon, dans lequel j'avais eu quelque peine à entrer, épousait maintenant parfaitement mes formes, les allongeant un peu, reconstituant dans la glace un double imparfait de ma sœur. Dans le miroir, deux jumelles étonnées nous regardaient ; l'une avait l'air vaguement exaspéré, l'autre l'air satisfait.

Ma sœur se détourna la première du miroir pour m'examiner en vrai, à la loupe, comme à notre habitude :

— Tu ne trouves pas que tu y es allée un peu fort sur le blush ? Ça te fait des pommettes d'ivrogne et une démarcation nette près de l'oreille !

— Oui, mais c'est un maquillage pour le soir, avec les lumières tamisées on ne verra plus rien du tout.

— Enfin, quand même !... Et le rouge à lèvres nacré, c'est bien sûr celui que tu as pris dans ma trousse !

— J'ai presque le même, mais je l'ai oublié à Paris...

Peu satisfaite de mes réponses, elle rassembla ses affaires dans son sac pour sortir. Dans le couloir où nous

nous hâtions pour rejoindre nos amis, je sentais son regard sur moi. Elle devait regretter, pensais-je, de m'avoir prêté ce pantalon qui finalement m'avantageait pas mal. Sûre de mon succès, j'étais d'excellente humeur.

Tout à coup, elle dit : « Ce pantalon te serre, quand même... Ça doit faire des marques. » Elle souleva le bord de ma veste : « Mais je rêve ou tu n'as pas mis de culotte ?! » Sur les quelques mètres qui nous séparaient encore de notre groupe d'amis, rien ne put apaiser sa fureur. Il était heureusement trop tard pour retourner me changer.

* *
*

Les échanges de vêtements entre sœurs ou entre copines sont fréquents. Les femmes qui ont eu des sœurs assez proches en âge et ont expérimenté ces échanges les reproduisent plus facilement avec leurs amies, dans une proximité féminine dont elles ont pris l'habitude.

Ces échanges de vêtements témoignent de plusieurs facteurs. Tout d'abord, ils rendent visible un processus d'identifications successives qui permettent la construction identitaire de chacun. Dans l'histoire précédente, la jeune sœur emprunte les vêtements de son aînée car elle désire l'imiter et lui ressembler. Mais cela dépasse la simple imitation. Il s'agit véritablement d'incorporer quelque chose de l'autre, de façon presque magique, par le truchement des vêtements. L'incorporation figure le mouvement archaïque de l'identification, son premier stade. L'identité se construit sur la base de ces « emprunts » aux personnes de l'entourage. Le sujet assimile un attribut de l'autre et se transforme sur le modèle de celui-ci.

Dans cette histoire, on observe l'identification à un objet idéalisé : la plus jeune sœur place l'aînée dans une position de supériorité, non sans une pointe d'ambivalence à son égard (phénomène typique du processus identificatoire). Les vêtements de l'aînée portent la marque de cette idéalisation : ils sont plus beaux, pleins d'éclat, ne perdent jamais leur attrait. En les portant, la cadette se sent plus proche de cet idéal qu'elle s'est fixé dans la personne de sa sœur, et cela renforce son estime d'elle-même.

D'autre part, l'échange de vêtements témoigne d'une interrogation sur la féminité par rapport aux autres femmes. « Celle-ci possède quelque chose que je n'ai pas, elle est plus ceci, plus cela... »

Ce phénomène révèle quelque chose du mystère de la féminité : elle est si difficile à cerner pour soi qu'on la reconnaît parfois plus aisément chez l'autre. On s'imagine ainsi couramment qu'une autre femme est dépositaire de cet attribut mystérieux. Dans beaucoup de cultures et de religions se retrouve cette idée d'un secret indicible de la féminité qui serait transmis de femme en femme aux moments-clés de l'existence.

En vérité, rien n'est plus difficile à cerner que cette évanescente essence dont chacune propose sa propre version. Dans la tradition psychanalytique, la question de la féminité tourne autour du manque. Alors, puisqu'on ne peut en situer le centre, on s'attache à ses manifestations périphériques, ses substituts. Les vêtements, par exemple, constituent un substitut de choix car on peut les maîtriser et les exposer.

Dès lors, une femme emprunte les vêtements d'une autre pour s'approprier un peu de son mystère féminin, de l'aura magique dont elle se sent cruellement dépourvue.

La question de la sexualité est très présente entre les deux adolescentes. L'une initie l'autre à travers divers comportements et attitudes à peine conscients ; le savoir se transmet par imprégnation, par osmose. Ainsi, porter les habits sexy de l'aînée permet à la cadette de mieux accepter son corps qui se sexualise et le regard que les autres posent sur lui.

Le vêtement la montre et la protège tout à la fois : mouvement paradoxal dont l'adolescence est coutumière. Il met certes en valeur son corps, mais parce que le vêtement appartient à sa sœur, la cadette lui en délègue la responsabilité. Elle joue avec la possibilité d'éveiller le désir des hommes sans l'assumer pour autant.

Son propre souhait, à savoir être objet de désir,

lui reste partiellement obscur, mais elle l'apprivoise peu à peu à travers cette mise en scène, en empruntant les tenues de sa sœur.

D'une manière plus générale, l'échange des vêtements ouvre un espace de jeu : on peut jouer un rôle tout en se maintenant un peu à distance, sans s'y reconnaître tout à fait.

Dans l'échange entrepris, le vêtement est aussi le véhicule de la rivalité entre les deux sœurs. L'idéalisation de l'aînée (comme d'une autre femme) constitue à cet égard un mécanisme de défense contre la rivalité. Il s'agit d'être la plus belle, la plus désirable, mais aux yeux de qui ? De la mère, du père ou des autres hommes ? Qui les sœurs se disputent-elles véritablement ? L'histoire ne le dit pas, mais derrière le masque des autres hommes apparaît probablement l'une ou l'autre des figures parentales.

De plus, la rivalité avec la sœur, comme entre amies, rejoue le conflit avec la mère, parfois plus difficile à assumer. Ce jeu subtil s'équilibre entre concessions et petites victoires.

Quand la sœur aînée est suffisamment rassurée sur son compte, elle laisse sa cadette gagner un peu de terrain, lui prête un vêtement. Mais il suffit que cette dernière menace de la rattraper, voire de la dépasser, pour réveiller la rivalité qui les sépare.

La rivalité peut prendre différents aspects. Elle est banale et le plus souvent tolérable quand elle porte sur la conquête de l'autre. Elle devient insupportable quand elle touche à la question de l'identité : la cadette, dans une identification trop évidente, proche de la fusion, cherche à ressembler le plus possible à sa sœur. Celle-ci s'en aperçoit face au miroir, et cette vision double d'elle-même est si intolérable qu'elle va chercher par tous les moyens à se différencier de sa cadette en l'observant dans le détail. Le mouvement agressif suit de peu le mouvement fusionnel et a pour but de s'individualiser.

En poussant un peu plus loin l'analyse, on pourrait dire que le fantasme de la cadette, en empruntant ce vêtement, est de partager une peau commune avec sa sœur, d'être pareilles, jumelles dans le même sac utérin. Ce fantasme est sous-tendu chez la cadette par l'envie, une envie violente, archaïque, qui rappelle celle de la toute petite enfance.

Enfin, l'échange de vêtements, par le rapprochement corporel qu'il implique, pose la question de l'homosexualité latente. La proximité des corps participe inconsciemment au plaisir de l'échange. C'est une histoire d'intimité partagée, d'exhibition et de voyeurisme, où le plaisir n'est tolérable que si la composante sexuelle est déniée. Le vêtement passe d'un corps à l'autre, comme une discrète caresse qui ne dit pas son nom. La part sexuelle de l'échange doit être tenue à distance de conscience, car si elle vient à émerger, elle risque de provoquer un mouvement de rejet, comme en témoigne l'épisode de la culotte.

Mais de tout « ça », les personnages de l'histoire ne veulent rien savoir, et leur utilisation du vêtement constitue un compromis acceptable pour leur conscience, véritable censeur psychique, qui permet la satisfaction de désirs inconscients à condition qu'ils le restent.

LA ROBE DE MARIÉE
OU LE DÉSIR D'UN MARI

Dans toutes les grandes occasions de sa vie, Nora achetait de nouveaux vêtements. À chaque examen, à chaque rendez-vous d'embauche, lorsqu'elle devait parler en public ou se rendre au premier rendez-vous avec un homme qui lui plaisait, enfin lors des fêtes où elle allait revoir un amoureux qui l'avait éconduite, Nora revêtait une tenue de circonstance. Suspendue à l'instant qui ferait basculer sa routine agréable en une vie trépidante qu'elle attendait depuis l'enfance, Nora jouait son avenir sur ces petits événements. Aussi, elle ne regardait pas à la dépense. L'imminence du changement autorisait tous les excès. Les grandes occasions exigeaient du neuf, du beau, quelque chose de rare qui tranche avec ses tenues habituelles.

Pour chaque situation, Nora composait son personnage : fatale en fourreau noir ou évanescente et famélique dans un jupon de tulle gris à une soirée où elle risquait de croiser un ancien prétendant, dynamique en tailleur pantalon et cheveux courts, pour un entretien d'embauche, nonchalante et sportive en survêtement taille basse et marcel blanc au marché le samedi matin. Nora ne savait pas où rencontrer son destin, mais son sentiment d'attente était si aigu, son imagination si vive et son désir de plaire si fort qu'elle ne pouvait renoncer à s'habiller en conséquence... Certaines circonstances, comme le premier dîner avec un homme qui l'attirait, se soldaient invariablement par une débâcle : la moitié de sa garde-robe étalée sur le lit, deux heures d'essayage pour trouver comment assortir une nouvelle pièce. Parfois, elle renonçait et partait en retard vêtue d'un jean et d'une chemise blanche. Elle arrivait triste et contrariée puis s'ennuyait ou s'amusait, et le plus souvent oubliait sa tenue. D'autres fois, obnubilée par son échec à l'épreuve du miroir, elle vérifiait sans cesse dans les vitres du café la déception causée par son apparence. Elle avait hâte de partir et utilisait le premier prétexte pour se retirer.

Au fil des jours et des rencontres, elle finit par tomber sur celui qui serait son futur mari.

Après un an de vie commune, Yves et elle avaient pris la décision de se marier. Rien n'était exactement comme dans les contes : Yves n'avait pas surgi de nulle part sur un grand cheval blanc, il avait partagé avec elle les bancs de la fac d'histoire pendant trois ans. Il n'avait même pas eu besoin de lui faire la cour pendant des mois, car elle avait cédé rapidement, presque trop vite, se disait-elle souvent rétrospectivement.

La vie à ses côtés était simple, tranquille, d'une évidence qui parfois la déconcertait : elle cherchait autour d'elle les méandres d'une passion qui aurait ravagé sa vie et consterné ses proches.

Même sa mère, pour une fois, appréciait son choix, tout en gardant une distance prudente que le temps et d'innombrables disputes lui avaient enfin enseignée. L'organisation du mariage les rassemblait autour d'un projet commun, et devenait au fil des mois le centre de toutes leurs conversations.

Point de mire de tant de rêveries, cette cérémonie

se devait de concrétiser l'un des multiples scénarios imaginés. La trace du rêve devait s'y matérialiser, et Nora hésita longtemps. Ses tenues, surtout, la préoccupaient. La robe de mariée, objet de tant de convoitises, signifiait nécessairement des renoncements. Devait-elle choisir un jupon de princesse et un bustier qui raviraient sa mère et contenteraient la petite fille en elle, ou une robe simple et sobre qui plairait à Yves ? Après beaucoup d'hésitations, elle opta, seule et contre l'avis de sa mère, pour une robe fourreau décolletée dans le dos, en guipure de coton. Elle rompit donc avec la tradition qui veut que la mère habille une dernière fois son enfant avant de la laisser partir.

Une fois arrêté le choix de la robe, elle eut toutes les peines du monde à trouver chaussure à son pied, en acheta quatre paires et jusqu'au jour dit ne sut laquelle des quatre elle choisirait. Un mariage n'était pas un défilé mais elle s'amusait à imaginer ses quatre apparitions en mules roses, en pantoufles de vair, en ballerines, et en sandales ornées de strass.

Pour la mairie, elle se souvint de la photo, aperçue dans un magazine, d'un jeune couple s'embrassant sous un porche. Elle retrouva la revue tout en bas d'une pile de vieux journaux. Sur la photo, une jeune femme blonde dans une robe en mousseline de soie tombant aux chevilles, avec comme motif de toutes petites fleurs, se hissait sur la pointe des pieds pour embrasser un homme très grand, en costume d'été.

Le premier essayage fut le bon. Elle trouva la robe à fleurs en mousseline de soie, coupée de biais, qu'elle avait vue dans le journal. Elle l'assortit d'un petit chapeau à voilette et de sandales du même rose que les fleurs. Elle incarnait la mariée de la mairie, délicate et fleurie. La date fixée arriva, et Nora enfila sa tenue, après s'être longuement coiffée et maquillée. Mais, devant le miroir de l'entrée, dans l'atmosphère surchauffée et désordonnée de l'appartement ou chacun s'apprêtait, elle se troubla soudain. Elle observait, incrédule, son image dans la psyché. Elle se rappelait d'une robe vert amande, fluide, ondulant au gré de ses mouvements. Rien n'était comme dans son souvenir, le charme s'était rompu. Désenchantée, hésitant entre colère et chagrin, elle regardait sans complaisance la jeune femme endimanchée et gauche que lui renvoyait le miroir.

« Je ne mettrai pas cette robe. » Immédiatement, s'éleva un concert de protestations suraiguës : « Mais qu'est-ce qui te prend ? Tu es ravissante, tu as cherché cette tenue exprès, et puis tu n'as plus le temps, arrête de délirer, c'est le stress... »

Mais Nora n'écoutait plus. Elle ajouta : « J'ai besoin d'être seule, je ne serai pas longue. »

Elle eut du mal à convaincre ses proches, mais quand enfin elle y parvint, elle arracha le semis de fleurettes qu'elle avait sur la tête et s'approcha de sa penderie déjà à moitié éventrée. Il ne lui restait qu'un quart d'heure. Elle feuilleta une à une ses robes comme autant de pages du livre de sa vie, s'attarda sur sa robe de soie orange et poursuivit : rien ne convenait. Elle reprit la robe orange. Yves la connaissait, il l'adorait. Elle se souvenait de cette fois où il l'avait présentée à ses parents : elle portait cette robe dans laquelle elle avait l'impression d'être toujours un peu trop nue. Un voile de soie tombait à mi-cuisse, dénudant ses jambes, si léger qu'il volait au vent, au risque de révéler la couleur de sa culotte.

C'était elle, telle qu'il la connaissait, qu'il l'avait choisie. Nora saisit sa vieille robe orange, choisit une lingerie d'un rouge à peine plus vif et l'enfila délicatement. D'une broche en forme de papillon elle se fit une barrette. Sans chapeau ni voilette, revêtue de sa tenue la plus légère, elle ne ressemblait plus du tout à une mariée d'état civil.

En cinq minutes elle fut prête et n'eut plus qu'une hâte : rejoindre Yves.

* *
*

L'histoire pourrait se lire comme une adaptation moderne du mythe de Narcisse, à la façon d'un conte moral. En effet, contrairement à Narcisse qui se noie dans son reflet, Nora, en trouvant l'amour (dans le mariage), échappe au pouvoir mortifère de l'image dans le miroir : le charme se rompt soudain. Jusqu'à cette prise de conscience, Nora se regarde vivre comme une actrice de sa propre vie. Elle met son costume de scène en toute occasion, en se conformant aux clichés des journaux féminins. Fascinée par le pouvoir de séduction des images qui circulent dans les séries télévisées et les magazines, Nora cherche à coller à ces représentations. Plus elle leur ressemble, c'est-à-dire plus elle s'aliène dans un semblant, plus elle se plaît. La magie opère quand, prise dans un scénario, elle devient un personnage. Elle s'approprie ce supplément de séduction inhérent au cliché, et qui n'a rien à voir avec le charme singulier d'un visage, d'une démarche ou d'un corps. En effet, en mettant l'accent sur certains traits, le stéréotype permet d'identifier un type singulier à un archétype. Le supplément de séduction provient de la référence à un fantasme, récit organisé mettant en scène ces archétypes. Certains scénarios très communs fondent les clichés que l'on peut définir comme des images faisant écho aux fantasmes les plus répandus.

Le cliché campe son héroïne dans un scénario et raconte une histoire. La mariée en gants blancs et robe à fleurs incarne l'innocence sexuelle. La jeune épousée est voilée, donc dérobée aux regards. La robe à fleurs perpétue l'image de la petite fille modèle, symbolise la jeune fille sage. Le fantasme auquel cette tenue renvoie est la « mise à mort », programmée par le mariage, de la virginité ; rien de moins que la mise en scène du sacrifice de la jeune fille sur l'autel de l'amour. Si Nora garde avant le mariage l'envie d'arborer une allure virginale, elle prend toutefois conscience que son choix ne recoupe en aucun cas le désir de son futur mari, qui la préfère femme.

Que se passe-t-il quand elle réessaye sa tenue le jour du mariage et se sent endimanchée, tout droit sortie d'un film des années 1940, avec sa voilette et sa robe à fleurs ? Jusque-là, elle était ravie d'incarner un cliché, mais lors de ce dernier essayage, elle se voit avec les yeux de son mari. Elle perçoit alors le ridicule de son accoutrement. Réalisant qu'elle s'est fourvoyée, elle se dévêt et renonce à incarner la mariée virginale. Elle prend conscience qu'elle veut en réalité surtout plaire à son mari, recevoir de lui ce qu'elle a déjà – son amour et son désir. Elle choisit une valeur qu'elle sait sûre en troquant sa tenue neuve contre la robe qu'il préfère, le voile de soie qui la dénude.

Captée jusque-là par des images auxquelles elle s'identifiait par le biais du vêtement, Nora se cherchait. Dans sa quête d'elle-même, elle glanait des images dans les journaux qui se donnent comme objet de pur désir, unanime, indépassable. Pourquoi Nora, comme tant de femmes, cherche-t-elle à coller à ces images stéréotypées censées susciter le désir ? La mode fonctionne sur cette déclinaison, cette répétition du semblable. Pour comprendre quelque chose à la déferlante qui oriente le désir des femmes une année vers le bleu canard et la suivante vers le gris, il faut revenir au problème de la féminité.

Pour Freud, quand la petite fille conçoit qu'elle ne possède pas l'objet susceptible de combler le désir de sa mère, elle se détourne de cette dernière au profit de celui qui semble le posséder : le père. Elle lui adresse une demande d'amour et rêve alors de recevoir du père un enfant en cadeau. La petite fille « tourne » en femme.

On constate ainsi que l'identité féminine est tributaire de nombreux facteurs.

La petite fille a-t-elle la possibilité de se détourner de la mère car celle-ci lui en montre le chemin en désignant un autre que l'enfant comme objet à son désir ?

Quelle réponse fait le père à cette demande de sa

fille ? La prend-il en compte, la délaisse-t-il ? Au contraire, se montre-t-il séducteur ?

Ici, Nora, qui veut plaire, est encombrée par une demande d'amour sans destinataire. Est-ce aux autres femmes qu'elle adresse sa demande, à sa mère, à un père, à un homme ? En singeant les images des magazines, elle voudrait s'assurer un capital de désir.

Désorientée dans sa quête, Nora erre et s'accroche à tous les semblants qui se donnent à voir comme désirables. Ce qui polarise le désir maternel reste énigmatique pour elle. De quoi fait-elle donc cas ? Y a-t-il une loi à laquelle la mère obéisse ? Si Nora ne parvient pas à constituer son identité, au point de la chercher dans des semblants, c'est que quelque chose n'a pas fonctionné dans la circulation du désir entre père, mère et fille.

Nora ne prend pas seulement conscience du fait que son fantasme autour du mariage ne coïncide pas avec celui d'Yves sur elle ; elle a aussi la soudaine révélation qu'en bien des occasions elle se conforme à un cliché au lieu d'agir en fonction de son désir, qui coïncide ici avec le désir d'Yves, devenu sa nouvelle boussole.

La plasticienne Louise Bourgeois illustre cette position féminine quand, sculptant un couple, elle crée un sphinx et un cylindre. Le sphinx est l'homme, fixé pour l'éternité à sa place. La femme roule, ne trouvant nul point d'équilibre : le cylindre ne peut que rouler, plus proche ou plus loin de son sphinx.

LA PETITE MÉTAMORPHOSE
OU COMMENT RHABILLER SES HUMEURS

La journée avait commencé il y a une éternité, une éternité de routine ennuyeuse, de tâches urgentes remises au lendemain, de brèves pauses avec des collègues fatigués. En fin d'après-midi, lassée, Cécile décida d'aller voir ailleurs.

Là, dans un café de la rue Mouffetard, les marchands des quatre-saisons, les mères de famille avec leurs cabas et les étudiants plongés dans leurs bouquins créaient une ambiance différente, instauraient un décalage. Le décalage entre elle et elle-même. En tout cas, elle n'était plus tout à fait la même. Elle ressentait un glissement imperceptible de sa conscience, une façon de ne plus être de plain-pied avec la réalité qui l'environnait.

Comme si, soudain, elle contemplait dans un miroir une fille au visage un peu triste, les cheveux tirés, un petit pantalon noir un peu étriqué et une veste marron, avec des idées et des humeurs de la même couleur.

L'image lui collait à la peau et les gens du café s'en rendaient probablement compte, eux aussi. Elle n'avait surpris aucun regard souriant en entrant et le garçon l'avait servie de la façon la plus anonyme qui soit.

De quoi avait-elle envie ? C'était un peu sa question rituelle quand elle sentait qu'elle tournait à vide, une façon de retrouver de l'élan, une impulsion. Un gâteau peut-être ? Elle attendait, guettant un signe de son estomac. Mais celui-ci était muet, pour une fois, endormi sous le flot de mauvais Lipton au lait qu'elle venait d'avaler. Pourtant, la quête de son désir avait réveillé quelque chose chez elle, sur le point de prendre forme et qui l'intriguait.

C'est à ce moment-là qu'elle dénoua ses cheveux. Cela lui procura une sensation de liberté. Elle passa ses mains dedans, les regonflant un peu. Entortillées dans l'élastique, les mèches, d'habitude si raides, avaient pris des formes bizarres, un peu folâtres, et rebiquaient sur ses épaules en une ronde désordonnée. Elle chercha des yeux un miroir et, en tendant le cou, aperçut son reflet au-dessus du comptoir : une tête de folle, Méduse aux yeux brillants.

Et cette veste marron, décidément, qui ne correspondait à rien.

Voilà, c'était cela, l'idée : trouver un autre haut. Toute contente, elle s'accrocha à cette envie. Un petit haut plus seyant, plus doux, plus gai, qui allait changer le cours de cette journée et l'ouvrir sur de nouvelles perspectives. Elle se dépêcha de régler son thé et quitta le lieu rapidement pour ne pas se laisser rattraper par l'ombre d'elle-même qu'elle y laissait.

En remontant la rue, elle se souvint de quelques boutiques de vêtements où elle avait fait des achats un jour. La première proposait des vêtements indiens qui évoquaient un retour raté de Katmandou. Elle la dépassa et s'arrêta un instant devant le magasin de chaussures avant de décider que la transformation ne serait pas assez visible. Il fallait quelque chose de plus spectaculaire, et puis sa veste lui pesait.

Deux adolescentes devant elle entrèrent dans une

longue boutique étroite dont la devanture colorée annonçait un code vestimentaire résolument branché, réservé aux jeunes consommateurs. Cécile venait d'avoir 30 ans mais n'en était plus très sûre tout à coup. Elle vérifia tout de même qu'il ne s'agissait pas de fripes : trop fatiguée pour fouiller dans des vêtements chargés d'histoire, il lui fallait du neuf.

La boutique était déjà encombrée. Des présentoirs s'alignaient sur les deux murs latéraux ainsi qu'au centre de la pièce, partageant le flux des acheteuses en deux files égales et affairées. On y voyait surtout des jeunes filles. Quelques hommes stationnaient près des cabines du fond ou attendaient, immobiles dans un coin, attentifs à se tenir éloignés de l'agitation ambiante. Point de vendeuse, ce qui lui sembla idéal pour chercher tranquillement l'outil de sa métamorphose. Elle délaissa d'emblée les couleurs sombres pour se concentrer sur un rayon de tee-shirts psychédéliques.

La tension de son désir était à son comble : le but approchait et tout son être semblait s'y raccrocher, dans une attente presque douloureuse. Elle choisit dans la pile deux tee-shirts aux couleurs vives, aux motifs évocateurs de visions hallucinogènes.

En furetant un peu plus loin, vers les cabines d'essayage, elle ajouta à son butin un petit pull soyeux en mohair de couleur tendre. Une musique lancinante, mêlée au brouhaha des conversations, l'accompagnait à travers le magasin.

Devant les cabines d'essayage, elle observa les apparitions qui surgissaient des rideaux. L'une d'elles, blonde et avenante, essayait sous le regard attendri d'un jeune homme une chose mousseuse, garnie de volants et semée de fleurs par-dessus son jean. Elle pivotait sur elle-même afin de se laisser admirer, tout en jetant des regards complices à son image dans le miroir. Une vendeuse passait, les bras chargés d'affaires ; elle s'arrêta un instant, admirative, devant la jeune nymphe et son faune, précisant que la robe, puisque c'en était une, existait également en « version chemisier ». Cécile en profita immédiatement pour lui réclamer l'objet, en taille 38.

Dans la cabine, à l'abri des regards, elle enfila en premier le soyeux chemisier. Celui-ci dégageait agréablement le cou, laissant deviner la saillie délicate des clavicules, et s'enroulait étroitement autour des bras. Il se fermait sur le devant, depuis le creux des seins jusqu'au nombril, par une série de petits boutons roses. Dans la glace, son image lui souriait.

Sa montre indiquait 17 h 30, la journée était encore riche de mille possibilités. Elle feuilleta dans sa tête un répertoire imaginaire, tout en contemplant, grâce à un ingénieux jeu de miroirs, sa silhouette vue de dos. Ses cheveux retombaient sur ses épaules et dessinaient des serpentins apaisés sur la mousseline de son corsage.

Elle fit un ballot rapide de ses vieux vêtements et se dirigea la tête haute vers la caisse.

* *
*

Une femme quitte son travail un peu plus tôt qu'à l'accoutumée ; elle entre dans une boutique, achète un vêtement qu'elle garde sur elle, et le monde se met à danser : l'anecdote est si banale qu'on peut se demander si elle vaut d'être racontée. L'expérience ordinaire d'une femme qui « se change les idées », qui « s'offre un petit plaisir » recèle pourtant de nombreuses questions. Quelle mécanique se met en branle, qui pousse tant de femmes à se livrer à ce scénario en apparence identique : entrer dans une boutique, acheter un vêtement et sortir rassérénée pour un temps même bref, réconciliée avec soi-même par l'opération magique de l'achat d'un nouveau vêtement ? Derrière ce geste se trame un réseau complexe d'opérations inconscientes et de significations dans la relation à l'autre et à soi-même. La logique de l'inconscient est à l'œuvre dans ce comportement qui répond à un principe de plaisir immédiat, quelque chose du désir, méconnu, qui vient surprendre le sujet lui-même. Ni le prix du chemisier ni son caractère superflu ne viennent freiner la compulsion d'achat.

Lorsque le désir se manifeste, il ne peut s'exprimer librement car il rencontre des résistances à l'intérieur du sujet. Pour cette raison, il se transforme et se déguise dès qu'il entre dans le champ de la conscience. Son objet véritable est toujours voilé aux yeux du sujet et adopte différents masques. Suivre la piste du désir à travers ses travestissements est le travail de l'analyse. Le vêtement apparaît dans cette histoire comme l'objet de fixation du désir, mais d'un désir qui lui préexiste et s'accroche soudain à lui après un long parcours inconscient.

Dans l'histoire, notre jeune femme est d'humeur morose. Elle est en proie à une sensation douloureuse d'incomplétude. Son sentiment dépressif est projeté sur ses vêtements, perçus comme ternes et étriqués.

Ceux-ci constituent une seconde peau sur laquelle s'impriment les émotions, les ressentis. L'image extérieure et l'image intérieure se confondent et agissent en interaction l'une sur l'autre. C'est pour cette raison que les vêtements ne semblent jamais tout à fait les mêmes dans notre penderie et lorsque nous les portons. Sur nous, le vêtement se colore, à nos yeux, de nos humeurs, tristesse, fatigue ou joie. Ainsi, comme le personnage de l'histoire, on peut avoir l'illusion, en changeant de tenue, de changer d'humeur, de se débarrasser d'une identité trop lourde à porter. La jeune femme, par un jeu de projections, rend ainsi le vêtement responsable de son mal-être et va vouloir s'en débarrasser pour acquérir un vêtement « couleur de joie » qui lui redonnera le goût de vivre. L'habit représente alors un espace potentiel de jeu où le Moi cherche à se retrouver, à saisir quelque chose de lui-même qui lui échappe. « Écorchée », la jeune femme recherche par ce nouveau vêtement une enveloppe capable de la redéfinir à ses propres yeux. Mais la véritable matière de cette enveloppe n'est pas tant la mousseline de la chemise que le regard de l'autre posé sur cette tenue. C'est ce regard fantasmé qui constituera pour elle l'enveloppe réparatrice.

Dans le café, elle est encore comme derrière une vitre, elle n'est plus de « plain-pied » avec le monde et les choses. Elle se sent exclue de la dynamique du désir. Le sentiment de ne pas être de la partie (le garçon de café ne la regarde pas, les mères de famille vaquent à leurs occupations) a une tonalité si douloureuse qu'il impose une issue. Il lui faut revenir dans la danse, être à nouveau présente dans le regard des autres, objet de désir d'un autre, pour se reconstruire, se retrouver. Le vêtement va remplir cet office : la solution est la reconquête du désir à travers la recherche d'une nouvelle parure. Sa quête a alors un but (le désir de l'autre) et un moyen (le vêtement). Son parcours dans la boutique en devient presque onirique, halluciné ; elle ne voit plus personne et erre, solitaire, à la recherche de son Graal.

Le miroir intervient dans ce tête-à-tête avec soi-même, moment de jouissance solitaire. La jeune femme se jauge et adresse à son reflet la question énigmatique du désir de l'autre, à laquelle les journaux féminins ou la vendeuse du magasin apportent une ébauche de réponse. Tenter de se conformer à ces images, c'est s'assurer un capital de désir, dont la nature même est de ne pouvoir être stocké, d'être toujours en mouvement. Il ne peut qu'être régénéré, jamais emmagasiné. Capté le temps d'une saison dans un vêtement, il ne peut s'y fixer plus longtemps, au risque de s'y fossiliser.

Ainsi, l'objet de la quête n'est pas indifférent. Il est celui qui réintroduit le désir de l'autre à travers le regard d'un homme amoureux sur sa compagne en train d'essayer un vêtement. Entre les différentes identifications possibles (la baba cool, l'adolescente), c'est sur la femme désirée par un autre homme que le choix définitif se porte. En achetant un vêtement proche de celui qu'essaie cette femme-là, un peu de la magie du désir passe dans le personnage de l'histoire. Elle s'identifie à l'objet du désir d'un autre et, par ce biais, devient désirable pour autrui mais surtout pour elle-même. Le vêtement aide à bâtir l'espace de rêverie nécessaire à la reconstruction de soi, toujours renouvelée, toujours en mouvement.

LA SANS CULOTTE
OU COMMENT VIVRE À DÉCOUVERT

À la maternelle, j'avais choisi ma première copine, Valérie, une petite fille aux dents toutes cariées, parce qu'elle portait la même culotte que moi, une petite culotte blanche avec des fraises rouges que j'avais entrevue par mégarde quand elle s'était assise. Dans la jungle de mes premiers contacts sociaux, ce critère m'avait semblé en valoir un autre, et je m'étais lancée à l'abordage de cette étrangère familière à la récréation. S'ensuivirent de longs mois d'esclavage amical durant lesquels la petite Valérie avait exigé de moi un don nouveau à chaque récréation : des petits bracelets de perles, ma médaille de baptême, des barrettes multicolores, des bonbons, et même la chevalière de maman y étaient passés. Je me dépouillais de tout avec frénésie pour couvrir Valérie de présents, apaiser son insatiable appétit et servir sa tyrannie, légitime à mes yeux.

À part la culotte, nous n'avions rien en commun : Valérie vivait avec sa mère et ses trois frères dans un petit appartement sombre, rempli de cris, et je me sentais confusément le devoir de réparer les injustices de la vie à son égard. L'inconfort de cette relation, que maman désapprouvait et qui m'obligeait à d'innombrables cachotteries, était compensé par l'ivresse de ma bonté à l'égard de cette pauvre créature. Malgré tous mes efforts, notre amitié ne dépassa pas la maternelle et je la perdis ensuite totalement de vue.

De cette expérience, je conservais l'idée qu'une culotte pouvait changer la nature des relations avec mes congénères, sans en rencontrer cependant de nouvelles preuves, jusqu'à un certain jour de juillet. Il faisait très chaud à Paris et j'affrontais pour la troisième fois depuis le début de la semaine une visite commentée d'une exposition Botticelli. Le groupe que j'accompagnais était composé d'hommes d'affaires américains silencieux et disciplinés qui écoutaient attentivement les propos du conférencier, identiques au mot près d'un jour sur l'autre. À la troisième salle, n'y tenant plus, je m'éclipsai aux toilettes. Celles-ci étaient spacieuses, avec un immense miroir doré dans lequel je me voyais en pied. Le tête-à-tête avec mon image me ragaillardit. J'examinai avec satisfaction mon petit tailleur noir, sobre et chic, d'un bon rapport qualité-prix. Je remontai un peu la jupe sur mes jambes pour juger de l'effet produit, et, comme j'étais seule, exécutai une petite danse lascive. Cela eut pour effet de me restituer une énergie toute neuve et, émoustillée par mon reflet, je soulevai ma jupe jusqu'à l'entrejambe, découvrant ma petite culotte de dentelle blanche. Soudain l'inspiration me vint de la retirer. Dans le couloir qui me ramenait vers les salons principaux, je faillis rebrousser chemin mais me sermonnai vertement sur mon manque d'audace et continuai en direction du groupe. Tous mes sens étaient en éveil, je sentais l'air frais contre mon sexe et mon visage brûlant. L'exercice était périlleux et j'étais soudain comme une espionne de haut vol en mission spéciale, environnée par le danger. Le moindre regard pouvait percer à jour mon secret, une rougeur mal contenue me trahir. Tendue, je me faufilais entre les groupes, sentant la présence de mes compagnons tout autour de moi, comme des zones de chaleur diffuse, d'intensité variable. Quand l'un d'eux, par mégarde, m'effleurait, un long frisson me parcourait comme une gorgée d'eau glacée. Mon cerveau travaillait à toute vitesse, relançant avec brio les conversations pour mieux camoufler mon émoi. Le temps passa très rapidement. Le déjeuner, toujours sans culotte, fut l'un des plus réussis que j'avais organisés jusque-là. Plusieurs des clients américains insistèrent pour avoir mon numéro de téléphone, et, en partant, me félicitèrent de mon niveau d'anglais.

Depuis ce jour, je me servis à l'occasion de ce stratagème : un déjeuner ennuyeux, une réunion trop sérieuse, un cocktail qui se prolongeait, et hop, je retirais discrètement ma culotte, guettant la transformation du monde autour de moi.

* *
*

Quoi de plus banal qu'une culotte, élément de base de l'habillement, et pourtant chargé de tant d'enjeux ?

La petite fille choisit son amie sur un critère de similitude, mais pas n'importe lequel : il s'agit du plus intime, caché aux yeux des autres. Ce qui les rapproche toutes deux, qui constitue tout l'intérêt de leur relation, est un élément secret que l'entourage, et en particulier la mère, ne peut pas comprendre. Il s'agit, au-delà de la culotte, de ce qui fait d'elles des petites filles, et non des petits garçons, mais dans une position légèrement décalée l'une de l'autre. À travers sa demande d'amitié, la fillette adresse à la petite Valérie une question sur le sexe féminin. La relation entre elles deux s'établit « envers et contre tout », sur la foi d'un signe de reconnaissance occulte. Grâce à elle, l'enfant échappe, peut-être pour la première fois, à la volonté de sa mère. En cela, cette amitié est libératrice parce qu'elle défie les lois maternelles. La transgression se poursuit dans le trafic de menus objets appartenant à la famille de l'enfant. En dehors de leurs culottes, tout oppose les fillettes, et leur disparité fait naître chez la narratrice un sentiment paradoxal de dette. Est-ce la mauvaise santé de Valérie (les dents cariées), sa situation sociale ou l'absence de père au foyer qui crée cet écart ? L'histoire ne le dit pas précisément, mais la narratrice se sent « quelque chose en trop » par rapport à l'autre fillette : il lui faut expier dans le don. Elle se fait complice de l'avidité de son amie et lui donne en cachette des objets appartenant à sa mère, ce qui laisse entendre que le « trop » se trouve du côté maternel. Il lui faut se débarrasser de ce qui lui pèse, sans savoir comment ni pourquoi, et le don lui procure, en plus d'un sentiment de supériorité non négligeable, l'ivresse de la légèreté. Mais à l'inverse, se séparer de la mère comporte un risque : celui de se retrouver « manquante », incomplète. Avec sa mère, c'est trop, sans elle, ce n'est pas assez. La fillette est alors placée dans une position paradoxale par rapport à la petite Valérie : elle se sent supérieure et en même temps pas « à la hauteur ». Les cadeaux viennent alors pallier sa défaillance et lui assurer une amitié dont elle se sent inconsciemment indigne. Simultanément, en étant ainsi exposée, sans protection maternelle, la petite fille découvre son désir à travers sa proposition d'amitié adressée à Valérie. Comme si cette brusque incursion hors de la sphère maternelle initiait pour elle un mouvement personnel, formait un appel d'air qui lui ouvrait la porte de son désir, et donc le chemin de son individualisation.

Ce qui se passe à l'âge adulte est dans le droit fil du début du récit : la culotte, objet d'une fixation infantile, établit directement le lien entre les deux histoires, condensant les significations. La jeune femme qui enlève sa culotte en société transgresse les règles de bienséance, héritières des interdits parentaux, et plus particulièrement des interdits maternels en ce qui concerne le corps féminin. La pudeur transmise de mère en fille est mise à mal dans cette expérience inédite. À travers cet acte transgressif, la fille trahit une nouvelle fois sa mère, se libère de son emprise, et le monde change à ses yeux. Un univers sans protections, sans barrières apparaît, comme si la culotte était un verrou à faire sauter. Le fait de la retirer libère symboliquement des interdits, et les fantasmes à connotation sexuelle en profitent pour se déployer.

Cet acte retire au monde son vernis familier ; tout devient étrange et inquiétant. La jeune femme se sent désirable et attirée par les hommes qui l'entourent et dont elle se sent différente. Cette fois-ci encore, la question adressée à l'autre porte sur l'identité sexuelle. Le fait de retirer sa culotte sexualise la scène en révélant cette différence fondamentale : au groupe de collègues se substituent des hommes et des femmes.

Pour l'héroïne, il existe un interdit d'origine maternelle qui porte sur la relation au monde. Il lui faut abandonner quelque chose des privautés maternelles (ce qu'elle fait à travers les cadeaux et la culotte) pour atteindre son désir et trouver son identité de femme.

RENCONTRE
OU LE JEU DES APPARENCES DANS LE COUPLE

Longtemps, dans sa petite ville natale, Julie avait fait partie de ces clientes que les vendeuses des boutiques de vêtements aiment à tyranniser. À peine repéraient-elles son air indécis entre les rayonnages qu'elles fondaient sur elle comme des oiseaux de proie sur le pauvre campagnol. Elles l'affublaient de tenues de leur composition, la noyaient dans un flot continu de compliments de la cabine jusqu'à la caisse, et lui tournaient le dos dès la porte franchie. Elle se sentait désespérément seule sur le trottoir, dépitée et trahie, avec, en prime, un énorme sac de vêtements qu'elle ne remettrait jamais. Depuis, elle était « montée à Paris » et, après des années de patiente observation des coutumes vestimentaires locales, elle avait trouvé son style, à mi-chemin entre la dernière tendance et l'élégance classique. Elle avait totalement délaissé les boutiques provinciales qui la faisaient autrefois rêver au profit de celles de la grande ville, espérant faire oublier, derrière l'élégance raffinée de sa mise, la jeune fille gauche et studieuse, au visage froissé par de mystérieuses contrariétés, qu'elle avait été. Elle était devenue pour toutes ses connaissances récentes une référence en matière de mode, ne se trompait jamais dans l'achat d'un sac ou d'un manteau et repérait souvent à l'avance les nouveautés qui feraient le succès d'une saison.

Julie se savait très sensible à l'harmonie de l'apparence extérieure ; ainsi avait-elle remarqué que ses amis se ressemblaient tous un peu, un groupe de jeunes gens aisés et élégants.

Aussi, quand Julie rencontra Sébastien, elle sentit souffler un vent nouveau : il l'avait tout d'abord étonnée par son obstination discrète à rester présent à son esprit grâce à l'intérêt manifeste de ses propos, son humour et la douceur de sa voix. Elle se détournait régulièrement de lui au cours de la soirée pour s'intéresser à d'autres, mais y revenait irrésistiblement, à sa propre surprise. Son charme, sans être évident, n'en était pas moins certain, et perçait comme un rayon discret derrière un assemblage de vêtements sans grâce. Cependant, Sébastien, malgré son allure ou peut-être à cause d'elle, réveillait en elle le souvenir de contes pour enfants : princes charmants changés en crapauds, peau d'âne et autres balivernes. À y regarder de plus près, cet homme, sous ses oripeaux, possédait les attributs du vilain petit canard prêt à se transformer en cygne : elle se découvrit soudain l'âme d'une fée, chargée d'une mission importante.

Quelques semaines après leur rencontre, Julie et Sébastien avaient entamé une relation amoureuse qui s'épanouissait de rendez-vous en rendez-vous.

Julie commença à lui offrir quelques pièces vestimentaires à son goût : une veste grise bien coupée, un pull noir, plus sobre que les gilets bariolés qu'il affectionnait. Devant l'enthousiasme de Julie, Sébastien se laissait facilement convaincre, attendri par la joie enfantine qu'il lisait dans ses yeux. Il acceptait les cadeaux et les après-midi de shopping forcené au Bon Marché, temple élu par Julie pour sa métamorphose. Il attendait patiemment dans la cabine d'essayage pendant que Julie parcourait en tous sens les allées, discutait âprement avec les vendeuses, revenait les bras chargés de vêtements à essayer et s'extasiait devant ses apparitions en chanteur de rock ou en dandy des années 1930. Il refusait quelques suggestions insistantes qui lui semblaient trop inconfortables, comme les jeans en toile brute qui lui cisaillaient l'entrejambe, les tee-shirts moulants et les pantalons taille basse. Non sans surprise, il prenait plaisir à sa nouvelle silhouette, dont il contemplait le reflet dans le miroir des yeux de son aimée. Les femmes dans la rue le remarquaient, il prenait de l'assurance et échangeait parfois avec elles un regard appuyé chargé de promesses inavouées. Il se découvrait élégant, raffiné, se permettait, avec l'approbation ravie de Julie, des audaces vestimentaires, dont il déléguait la responsabilité à son désir bien compréhensible de lui plaire. Il dépensait plus d'argent pour ses vêtements courants, fit l'acquisition d'une magnifique paire de chaussures dont le prix l'aurait horrifié autrefois, et poussa même le luxe jusqu'à s'acheter quelques produits de beauté pour homme. Il découvrait avec plaisir un monde qui lui était demeuré fermé jusqu'à présent, dans lequel l'amour de Julie l'avait introduit comme par magie. Le souci de son apparence, préoccupation qu'il aurait méprisée auparavant, avait recoloré son univers avec des tons plus chauds, allégé le quotidien et ouvert des possibilités insoupçonnées.

Pendant ce temps, Julie éradiquait patiemment un à un ses anciens vêtements, prétextant d'obscures fêtes paroissiales, des journées exceptionnelles de don, des ramassages annuels de bénévoles. Parfois éclatait une vive discussion autour d'un vêtement particulièrement chéri que Julie menaçait de jeter. Sébastien se rappelait son plaisir à l'achat de cette tenue, les multiples occasions où il l'avait portée, et retrouvait à travers l'habit la silhouette familière de sa vie passée. Aussi ne comprenait-il pas l'immense contrariété qui saisissait Julie lorsqu'il s'obstinait à porter un vêtement de cette époque révolue. Il ne se sentait en rien différent et pourtant les sentiments de Julie avaient l'air de changer brutalement. Elle devenait distante, agacée, fuyait ses baisers et le regardait bizarrement. Dans ces moments-là, il finissait par se demander si elle l'aimait encore, tant elle le battait froid.

Julie, bien que profondément sensible aux vêtements, avait la prétention d'être au-dessus des apparences, et répétait haut et fort que « l'habit ne fait pas le moine ». Aussi était-elle embarrassée par ses sentiments à l'égard de Sébastien quand celui-ci, pour la tester, revêtait les pires de ses tenues. Elle se sentait bafouée, son amour pour lui s'effritait rapidement à ce spectacle et elle craignait de le voir disparaître à tout jamais s'il ne se changeait pas rapidement. Elle se fustigeait intérieurement de la superficialité de ses sentiments, mais c'était plus fort qu'elle.

Après quelques ratés au démarrage, ils s'adaptèrent peu à peu l'un à l'autre, modelant leurs garde-robes respectives à tour de rôle. Mais s'ils réussirent la plupart du temps à trouver un compromis vestimentaire pour leur vie en tête à tête, la présence de tiers ravivait les conflits : Julie devenait plus intransigeante sur la tenue de Sébastien et il arrivait qu'elle renonce à sortir s'il persistait à porter sa veste bleu canard. La soirée terminait alors en eau de boudin, elle en colère contre la terre entière et surtout contre elle-même, lui, penaud, dans sa veste bleu canard trop chaude pour l'appartement.

* *
*

Son arrivée dans la capitale offre à Julie la possibilité de composer à travers ses tenues un personnage extérieur en adéquation avec une image idéalisée d'elle-même. Le vêtement joue alors un rôle précis : il lui permet de s'adapter aux circonstances, de trouver sa place dans le groupe qu'elle a élu, celui des « jeunes gens aisés et élégants ». Le vêtement devient le véhicule d'une image de soi revendiquée aux yeux des autres. Pour Julie, il s'agit non seulement d'asseoir son personnage mais aussi, et surtout, de dissimuler son origine provinciale. C'est alors que se révèle la fragilité narcissique du personnage, car si Julie peut faire illusion aux yeux des autres, elle se perçoit toujours comme une « jeune fille gauche et studieuse » et craint en permanence d'être « découverte », de paraître inadéquate, insuffisante. Sa raideur est défensive : elle a peur d'être rejetée. Elle ne peut se permettre aucun écart vestimentaire, tout doit être contrôlé et vérifié de façon à ne laisser filtrer aucun indice sur ce qu'elle souhaite dissimuler.

Dès lors, la rencontre avec Sébastien révèle quelque chose de la construction identitaire de Julie. Elle ne choisit pas quelqu'un qui appartient au groupe qu'elle a élu : il ne porte pas les mêmes signes de reconnaissance vestimentaires que ses amis et il dérange l'ordre que Julie s'efforce de maintenir autour d'elle. Pourtant, il l'attire irrésistiblement, malgré ses « oripeaux » inclassables. Il fait naître chez elle le fantasme de la bonne fée, du pygmalion génial qui saura révéler cet homme à lui-même. Pourtant, inconsciemment, c'est lui qui la révèle à elle-même : sans le savoir, elle se retrouve en cet homme telle qu'elle était à l'origine. Il lui tend un miroir, dans lequel elle rejoue une seconde fois la scène de la métamorphose. Ce qu'elle lui fait subir en transformant son image extérieure n'est rien d'autre que ce qu'elle s'est imposé à elle-même, avec la même exigence démesurée par rapport à un idéal de soi. Or la scène ne se rejoue pas à l'identique puisque Sébastien résiste quelque peu à la tyrannie de Julie, malgré les transformations de surface qu'il accepte. Pour lui, il ne s'agit pas de se cacher derrière une apparence composée, de domestiquer ses pulsions et ses désirs. Paradoxalement, cela produit probablement un effet apaisant et libérateur sur Julie.

Non seulement la transformation vestimentaire de Sébastien redouble en partie la volonté de maîtrise de Julie sur elle-même, mais en outre les tenues qu'elle choisit pour lui deviennent sa marque à elle sur son corps à lui. D'où sa difficulté à accepter qu'il se dégage de cette double emprise inconsciemment instaurée à travers le vêtement.

Peu à peu, Sébastien se prend au jeu et s'intéresse aux chaussures, aux vêtements et même aux produits de beauté, terrains sur lesquels il ne se serait jamais aventuré auparavant. Qu'est-ce que cela signifie pour lui ? On peut supposer que, rassuré par sa relation amoureuse avec cette femme, il s'autorise des centres d'intérêt qu'il aurait jusque-là jugés trop superficiels, ou bien peu compatibles avec sa conception de la virilité. En effet, beaucoup d'hommes pensent que l'importance accordée à l'apparence est une préoccupation féminine, ou bien que, lorsqu'on la rencontre chez un homme, elle va souvent de pair avec l'homosexualité. En réalité, ils sont prisonniers d'un stéréotype masculin, héritier d'une éducation valorisant avant tout l'intellect et le contrôle émotionnel chez les garçons, laissant le libre jeu des sentiments et des apparences être l'apanage des petites filles. La rencontre amoureuse est donc l'occasion pour chacun des personnages de rééquilibrer un peu son organisation interne, de desserrer le cadre des stéréotypes ou des images de soi trop rigides. Cet « accordage » amoureux permet d'assouplir les contraintes internes de chacun grâce au gain narcissique lié à l'amour de l'autre. L'achoppement de la crise finale montre cependant les limites de cet accordage vestimentaire et amoureux : le regard d'un tiers, placé en position de juge, révèle les fragilités narcissiques de chacun.

LE CADEAU
OU COMMENT NE JAMAIS SATISFAIRE UNE FEMME

Cette année-là, Harry et Lisa avaient traversé leur première véritable crise conjugale. Harry en avait été très éprouvé. Il chassait encore de ses pensées avec angoisse cette époque, où Lisa revêtait dès 22 heures des pyjamas de son adolescence en pilou usé, se mettait au lit avec une pile de Simenon, et ne disait plus un mot de la soirée. Après un laps de temps variable, elle interrompait sa lecture, éteignait la lumière et lui tournait le dos. Lisa était devenue si intraitable qu'Harry n'osait plus lui adresser la parole. À force d'être rabroué, il en devenait taciturne. Mais la profondeur de son affliction, sa persévérance et sa ténacité eurent en fin de compte raison de la rancune de Lisa. À la faveur de cette embellie, il l'emmena par surprise à Rome. Depuis, tout semblait être rentré dans l'ordre. Lisa avait rangé ses pyjamas d'hiver et arborait, la nuit venue, des tenues plus seyantes, plus légères aussi. Lisa était coquette, elle aimait faire découvrir à Harry ses trouvailles. Les longs mois qu'avait duré cette brouille, Lisa n'avait acheté aucun vêtement, ne s'était enthousiasmé pour aucune fantaisie. Aussi, pour ses 35 ans, Harry voulait-il offrir à sa femme un cadeau symbolique qui ferait oublier la hargne qu'elle avait nourrie à son endroit tout au long de l'hiver. À cette période, Lisa revit Maria de passage à Paris. Au cours d'un dîner, où Harry eut le sentiment d'être transparent, elles évoquèrent une copine d'adolescence, Nora, dont ni l'une ni l'autre n'avaient plus de nouvelles, et dont elles avaient terriblement envié à l'époque le manteau de cuir noir. Toutes les deux avaient eu une fois le privilège de porter la longue peau fine, qui prenait si bien la taille, ajustée comme une robe, avec ses petits boutons en rangs serrés. Elles avaient gardé la même impression de voler à Nora quelque chose de son identité, car ce manteau était un gant, trop intime pour être prêté, qui gardait dans ses plis l'empreinte, l'odeur de son possesseur. Harry, pour l'occasion, se mit en quête de ce manteau, dont il craignait qu'il soit introuvable. Enfin, un après-midi, il emmena sa femme dans une boutique où les prix étaient bien plus élevés que dans les magasins qu'ils fréquentaient habituellement. Lisa était excitée et un peu tendue. Harry avait déjà fait un premier repérage et il lui montra sa sélection. Lisa enfilait et retirait précipitamment les vêtements qu'il lui tendait, après un rapide regard dans le miroir. Elle laissait à peine à Harry le temps d'apprécier son choix. Elle ne pouvait s'empêcher de jeter un coup d'œil à la dérobée sur les rayonnages, secrètement exaspérée de devoir se conformer aux lubies de son mari. Elle inspectait les portants, déjà déçue, déjà triste du décalage qu'elle devinait entre son attente et le cadeau.

Harry voulait faire plaisir à sa femme, aussi Lisa savait-elle que le prix serait extravagant. Cela augmentait encore sa tension : un cadeau si cher qui ne la satisferait même pas. Elle nourrissait souvent à son endroit une agressivité qu'elle tentait maladroitement de cacher quand il ratait ses cadeaux, ce qui était fréquent. Elle lui en voulait de ne pas savoir, après toutes ces années, ce qui lui faisait vraiment plaisir. Au début de leur mariage, elle lui avait même fait des scènes mémorables. Il lui était arrivé de lui reprocher des cadeaux qu'ils avaient choisis ensemble. Elle se plaignait de la « pression » sournoise qu'elle ressentait à certaines occasions. S'il l'avait aimée, telle qu'elle était, lui offrirait-il tel sac, qui n'était pas du tout son genre ? Elle l'accusait de vouloir la façonner à l'image de ses fantasmes à lui. En pleurant, et, avec une conviction quasi délirante, elle l'accusait d'avoir toujours aimé telle ou telle autre femme, pulpeuse, blonde et vulgaire de préférence. Il n'y avait alors vraiment rien d'autre à faire que de laisser passer l'orage. Harry se contenait, sauf quand Lisa se risquait à le comparer à sa mère : « Tu vois, maman, elle, elle sait toujours ce qui me fera vraiment plaisir. » Là, Harry explosait. Il avait été surpris qu'un présent puisse déclencher de telles récriminations, puis il s'était habitué à rater ses cadeaux. C'était son lot à lui d'avoir une femme insatisfaite, que les cadeaux pouvaient mettre dans un tel état de tristesse et de déception, comme un enfant auquel le père Noël n'aurait pas apporté ce qu'il attendait. Parfois, avec le temps, Lisa finissait par apprécier certains cadeaux d'Harry, et cela compensait un peu sa première réaction. Aussi, entre Lisa et Harry, les cadeaux avaient-ils deux vies : comme certains films, ils rataient leur sortie, mais trouvaient un second souffle dans la durée. Le rêve du manteau de cuir connut le même sort. En fait de manteau, ce fut une veste en chevreau, fine, noire, douce, comme déjà un peu usée, suivant si intimement le contour du corps de Lisa qu'on l'aurait cru coupée sur elle. Harry enveloppait d'un regard tendre sa femme, vêtue comme dans le fantasme de son adolescence, sa femme hésitante, inquiète, s'agrippant à son regard, cherchant son approbation, un maigre sourire se dessinant enfin sur ses lèvres alors qu'ils sortaient ensemble du magasin.

— Mais ça te plaît ? lui demanda-t-elle.

— Oui, beaucoup.

— Tu ne la trouves pas trop moulante ?

Harry, mi-amusé, mi-exaspéré, répondit non.

— C'est vraiment trop cher.

— Écoute, ça, c'est mon affaire.

— Mais tu crois que je la porterai ?

— Et pourquoi pas ?

— Tu trouves vraiment que ça me va ? C'est pas mon genre.

Harry, de sa main libre, entoura la taille de Lisa et, la serrant contre lui, murmura : « Dire que j'ai eu ma plus grande passion pour une femme qui n'était même pas mon genre... »

* *
*

Dans cette histoire, un mari épris de sa femme lui offre des vêtements, pensant ainsi lui témoigner son amour, mais celle-ci se rebiffe, fait des scènes et pleure à chaque nouveau présent. Harry persévère, sans se décourager ; il rêve, anticipe la surprise, le plaisir de son épouse. Peut-être ne peut-il renoncer à apposer sa griffe sur la plus belle pièce de sa collection, ou veut-il seulement la modeler à l'image de ses désirs ? Lisa refuse de se prêter à ce jeu. Quand les présents choisis par son mari contreviennent à ses idées préconçues, elle se sent attaquée. Elle les perçoit comme des injonctions autoritaires, voire des reproches, contre lesquels elle se rebelle. Elle se sent désavouée, trahie par Harry parce qu'elle considère que les cadeaux ne correspondent pas à son style… Elle se méfie alors, doute de l'amour de son mari, se demande si ce cadeau ne signifie pas son intention secrète de la transformer, de la nier dans son être. Le désir que manifeste Harry de l'habiller est perçu comme intrusif, il représente un danger. Elle craint d'être soumise à son bon vouloir, à son caprice, une situation qu'elle a déjà probablement connue dans ses premières relations. Lisa l'intranquille devient alors une harpie qui harcèle l'homme qu'elle aime. Pourtant, celui-ci ne fait que témoigner son amour…

Si Lisa est si tendue, si suspicieuse, au point même d'interpréter un cadeau, c'est que par moments sa relation avec Harry lui rappelle l'autre histoire, lui fait revivre cet autre lien dont elle craint d'être à nouveau prisonnière. L'angoisse suscitée par le fait de recevoir un cadeau renvoit à une peur antérieure. Quelque chose s'est bel et bien passé. Ce qui est redouté a déjà eu lieu dans un temps reculé, celui de l'enfance. La peur maladive de Lisa qu'on lui impose une certaine apparence, donc une certaine identité, provient de ce temps où elle était soumise au désir ressenti comme trop directif ou trop fort de ses parents. Lisa ne s'est extraite de ce rapport qu'avec difficulté en renonçant à les contenter. Certes, elle a pu nouer d'autres relations, se marier, mais son modèle reste cette première histoire, le lien filial dont l'ombre pèse jusqu'à ce jour sur sa relation conjugale.

Marquée par ses premières amours, elle ne peut vivre la situation présente sans la rapporter à son passé.

Dans un tel contexte, où il lui faut maîtriser totalement sa tenue pour échapper au danger imaginaire d'être possédée, annulée, la relation autour d'un vêtement offert ne peut être que conflictuelle. Lisa a un style, et ne peut déroger à ses codes, qui constituent des garants de son identité. Elle est donc soumise à des impératifs vestimentaires : dans ce domaine, elle n'a aucune fantaisie et fait même preuve de raideur.

Si pour Lisa cette relation est périlleuse, elle ne cesse pour autant d'être investie. Son espoir par rapport au cadeau est immense, à la hauteur de ce qu'elle attend de l'autre. Sa demande trahit la nostalgie d'un lien fusionnel avec la mère, avant le langage, où ses désirs étaient exaucés avant même d'être formulés. Inconsciemment, elle souhaite qu'Harry devine ses moindres envies, que leur communication, peut-être devrions-nous dire leur communion, soit parfaite, échappant aux malentendus inhérents au langage. La tentation est grande de retrouver le premier objet, la mère, définitivement perdu. Lisa n'y a pas renoncé. Parce qu'elle a la nostalgie de cette relation inoubliable avec une mère qui la comblait, ne laissait l'espace d'aucun manque et au sein de laquelle elle pouvait se perdre, elle doit justement s'en défendre. Dès lors, Lisa ne peut que cultiver avec acharnement son insatisfaction. Il lui faut être déçue et frustrer celui qu'elle aime. Répondre à l'attente d'Harry lui ferait prendre le risque de se perdre, de se noyer dans son désir, d'être anéantie. Son vœu le plus cher est aussi sa plus grande terreur. Lisa lutte avant tout, avec effroi, contre sa propension à se conformer en tout point aux fantaisies de ceux auxquels elle adresse une demande d'amour.

Si, au début de leur mariage, Lisa s'est montrée rigide, le temps l'a assouplie. Harry parvient lentement à l'apprivoiser. Lisa s'apaise et peut tout doucement entrer dans les jeux somme toute assez innocents que lui propose son mari, se prêter à ses fantaisies. C'est là le secret de l'insatisfaction féminine : prompte à susciter le désir, l'insatisfaite ne peut se risquer à l'assouvir, au risque de se voir devenir chose.

ON MEURT TOUJOURS DEUX FOIS
OU COMMENT ON FINIT PAR SE DÉBARRASSER D'UN AMANT

Comme chaque jour où elle mettait son pull en angora blanc, Muriel était prise d'une nostalgie intense de celui qui avait été, un an durant, son amant. Ou peut-être, certains matins, prise d'une nostalgie de son amour perdu, revêtait-elle son pull en angora blanc. Elle avait sacrifié sa liaison pour sauver sa vie conjugale, qui avait surmonté de nombreux obstacles mais semblait cette fois en grand péril. Parfois, elle pensait que le prix de ce renoncement était trop élevé. Elle se perdait en conjectures infinies sur les causes de cette rupture, oubliant qu'elle en avait pris l'initiative. Elle inversait les rôles, devenait une femme quittée, abandonnée. Elle était alors pleine de ressentiment et, tenaillée par ses contradictions, se retenait cent fois par jour d'appeler son ancien amant. Pendant plusieurs mois, habitée par le regret, elle continua secrètement à envisager de renouer avec lui. Longtemps après avoir renoncé à revoir François, elle ne pouvait s'empêcher de penser à lui quand elle achetait des vêtements. Elle savait qu'il préférait les pulls blancs ou la lingerie rouge. Dans les premiers temps, elle s'était interdit ce genre d'achats, craignant que la nostalgie ne l'emporte et ne l'entraîne à revenir vers lui. Mais les jours passant, et l'oubli apportant son apaisement, elle se risqua à acheter une première culotte fuchsia, puis finit par n'acheter plus que de la lingerie rouge, avec une pointe de culpabilité qui ne diminuait en rien le plaisir de l'achat. Cela lui paraissait une tromperie sans gravité. Secrètement, le destinataire n'en était pas son époux légitime. Elle ne pouvait renoncer à cet écart. Il lui fallait prendre une route de traverse, échapper à Yves qui représentait toutes les années qui se profilaient devant eux.

Muriel menait à présent une existence apparemment tranquille, fidèle à son mari, à la couleur rouge pour les dessous et blanche pour les pull-overs. Elle avait constitué une collection impressionnante de pulls blancs : en mohair, en angora, en soie, en jersey. Sa fidélité récente à cette couleur donnait l'illusion à certains que Muriel avait enfin trouvé son style parmi tous ceux qu'elle avait essayés jusque-là.

Mais la vie réservant parfois d'étranges surprises, Muriel croisa François, un jour de pluie battante, sur le cours Mirabeau, quelque temps après Noël. Elle quittait une amie de passage à Aix, et s'apprêtait à retrouver les siens, quand elle tomba nez à nez avec François, accompagné d'une fillette. Muriel la regarda avec fascination. Elle pensa que cette petite fille lui ressemblait et ne put détacher son regard du visage de l'enfant. François semblait amusé, beaucoup moins troublé qu'elle. Il lui présenta sa fille, Laura, et dit à l'enfant que Muriel était « une vieille amie ». Muriel ne dit rien, ne bougea pas, posant alternativement son regard sur François et sur sa fille. François sembla soudain pressé de reprendre son chemin. Elle ne pouvait se décider à le laisser repartir, et se sentait comme engourdie, incapable de prononcer un mot. Pendant une seconde, elle envisagea de lui jeter à la figure tout ce qu'elle avait fait en souvenir de lui, d'ouvrir son trench pour lui montrer la preuve de son amour. Elle le regarda fixement et pensa : « Je suis morte, finie, oubliée. » Elle entendit presque : « Oui, tu vois, je t'ai oubliée. » Cet échange de paroles était si net pour elle qu'un peu plus loin sur le trottoir, après les avoir quittés, elle se demanda s'ils avaient pu avoir cette conversation devant l'enfant. Non, elle en était sûre, elle ne l'avait pas fait. C'était par télépathie qu'ils avaient eu cet échange : à l'époque de leur relation, il n'était pas rare que l'un énonce la chose que l'autre avait en tête.

Elle prit sans réfléchir la direction de chez elle. La nuit était tombée lorsqu'elle arriva au carrefour des Bernardines. La place Jeanne-d'Arc était déserte. Elle fut surprise de l'heure tardive. Elle avait quitté son amie voilà deux heures. Yves devait s'inquiéter. Elle prit machinalement son portable qui affichait cinq messages en absence. Elle n'eut pas le courage de les écouter. D'un pas plus décidé, elle reprit le chemin de la maison. François appartenait désormais au passé. Elle l'avait définitivement perdu. Le froid mordant de cette soirée annonçait l'hiver, et elle serra la ceinture de son trench, elle avait froid. Elle avait honte d'avoir attendu François toutes ces années, de s'être apprêtée pour d'hypothétiques retrouvailles. Elle pensa qu'elle l'avait aimé plus qu'il ne l'avait aimée. Elle se souvint de la petite fille. L'idée la traversa qu'il avait eu un enfant d'elle après leur rupture, puis elle rit de cette pensée absurde. Cette rencontre remuait beaucoup de choses. François avait été un amant attachant. D'autres femmes, comme elle probablement, ne pouvaient l'oublier et s'étaient, elles aussi un jour, transformées en statues de sel. Elle eut la vision d'un cortège de femmes en blanc, figées sur le cours Mirabeau, toutes marquées de sa griffe secrète, la lingerie rouge. François avait été son amant le plus féminin, le plus délicat, le plus savant. Elle avait gardé l'illusion de son amour jusqu'à cette confrontation. Elle baisa en rêve sa bouche et ses paupières comme on quitte un mort, comme une maison de famille qu'on a vendue et dont on ferme pour la première fois tous les volets. D'un geste lent, elle poussa le lourd battant de la porte, ferma à double tour le portail, et sans se retourner, les larmes aux yeux mais la tête haute, le pas lent et pourtant décidé, retenant son chagrin, avec toute la dignité dont elle était capable, elle s'avança dans l'escalier.

* *
*

Une femme joue avec la possibilité de reprendre une liaison avec un ancien amant, et cela sans le revoir ni même le contacter, simplement en revêtant certains habits. Muriel a quitté un homme qui mettait en danger sa vie conjugale, et garde la nostalgie de l'époque de leurs amours. Comment se débrouille-t-elle après toutes ces années avec la tentation de reprendre la relation interrompue ? Dans l'inconscient, le temps n'existe pas, le sujet est suspendu dans le présent éternel de ses désirs. Pour retrouver cet amant dans ses rêveries éveillées, elle extrait de ses souvenirs un motif, une séquence : son ami la dévêt et substitue à la femme habillée de blanc, la femme à la lingerie rouge. Comme dans un rêve, où un détail déplacé de son contexte fait référence à une autre scène, le pull blanc dissimulant une lingerie rouge évoque le temps révolu où cette tenue faisait partie de jeux érotiques. Dans un rêve, le détail incongru est l'indice qui permettra d'accéder à son sens caché qui se déchiffre comme un rébus. En psychanalyse, on appelle un contenu manifeste, les éléments du rêve, et le contenu latent, le sens caché. Le rêveur ne peut y avoir accès qu'en déroulant le fil de ses associations.

Chez notre rêveuse, un motif toujours identique se répète. Le pull blanc associé à une lingerie rouge revient de manière quasi hallucinatoire. Quand Muriel revêt un nouveau vêtement blanc ou rouge, elle convoque le souvenir de cette scène emblématique de la liaison avec François. Elle est alors prise d'une excitation érotique et prépare leurs retrouvailles fictives. Porter ces vêtements est une façon de résoudre ses contradictions. Ce subterfuge lui permet la « réalisation » de son désir adultérin tout en restant fidèle à son mari. La répétition de ce subterfuge signe l'importance de ce comportement pour Muriel. On reconnaît ici la définition du symptôme, à savoir une formation de compromis pour résoudre un conflit interne opposant d'une part un désir qui cherche à se réaliser et d'autre part la censure par la conscience. En fin de compte, après sa rupture, Muriel troque la réalisation sexuelle de son désir, trop coûteuse pour sa conscience, contre le port de vêtements qui lui rappellent secrètement sa liaison. Cela lui permet d'être fidèle à son mari tout en poursuivant sa relation adultérine.

Souvent, les éléments significatifs du rêve sont arbitraires. Ils ne sont chargés de sens que dans le contexte auquel ils appartiennent. Ici, en revanche, le motif choisi est signifiant par lui-même. Les deux couleurs sont symboliques : le blanc évoque la pureté et le rouge la sexualité, d'autant plus qu'il s'agit de lingerie. Ce motif révèle un fantasme, celui d'incarner deux figures à la fois : la sainte et la « salope ». Les amants pourraient s'être rencontrés sur ce fantasme commun, celui de la femme pure déchue, dont une autre déclinaison est celle de la petite fille séduite par son père. On peut donc supposer que pour Muriel ce fantasme est issu de désirs œdipiens, ce qui est confirmé par son trouble lorsqu'elle croise la fille de François. Elle a l'impression de déceler une ressemblance, ce qui témoigne d'un effet de miroir : dans son inconscient, c'est elle l'enfant de François, sa petite fille « pure ». Cette fillette est donc à la fois son double et l'enfant issu de leur liaison, ce qui n'a rien d'impossible dans l'inconscient. En effet, dans ce moment de trouble où Muriel a accès à des pensées habituellement refoulées, l'idée l'a traversée qu'il lui a fait « un enfant dans le dos » : cela révèle qu'elle a eu le fantasme d'avoir un enfant avec lui, mais aussi qu'elle jouait le rôle de l'homme au sein de leur relation. Tout se confond dans son esprit au moment de leur rencontre ; ce qui semblait toujours présent est renvoyé dans le passé. Il apparaît à Muriel qu'elle a perdu l'amour de François. Or elle avait imaginé que son amant l'attendait pour l'éternité. Si les acteurs de nos vies ne jouent parfois que quelques scènes avant de disparaître, les places qui leur sont dévolues, même inoccupées, leur restent acquises puisque l'inconscient ne connaît pas le temps. Cette confrontation réelle, plusieurs années après la rupture, produit un effet de catharsis : le moment où les fantasmes deviennent conscients.

Voilà une femme qui, imaginant tromper son mari, lui devient fidèle. C'est l'innocente perversité d'une femme fidèle.

TRADITION ET QUALITÉ
OU LA FILIATION VESTIMENTAIRE

Victor était le fils aîné des Lambert. Destiné depuis toujours à reprendre les affaires familiales, il avait développé un sens aigu des responsabilités. Enfant, on disait de lui qu'il était « un petit garçon sérieux, plus mûr que ses camarades ». Mme Lambert éprouvait une admiration éperdue pour son fils. Dès qu'il eut atteint l'âge de 8 ans, sa mère, qui aimait les vêtements de qualité, l'habilla chez Simon's ; c'était aussi le fournisseur de son mari. Simon's était une vieille maison, presque une institution. M. Simon faisait venir costumes et chaussures d'Angleterre. Pour les chemises, il travaillait avec un fabriquant français, Figaret. Les établissements Vandhort de Roubaix assuraient la confection enfants. Mme Lambert s'y rendait deux fois par an, en septembre et en avril, choisissait trois polos, deux chemises bleues, une blanche, un blazer et trois pantalons qui dureraient une ou deux saisons. Selon les années, les chemises étaient unies ou rayées, et le bleu ou le rouge des polos variaient avec les tendances : azur ou roi, vermillon ou framboise. Puis ils évoluaient au fil des lavages, devenant passés en fin de saison.

Victor préférait les polos un peu usés, alourdis et rendus rêches par la dureté de l'eau et par l'empesage. Il aimait le contact du coton épais et l'odeur de la lessive. Le matin, il revêtait son armure. Sa préférence allait aux polos près du corps sans être moulants. Ses camarades, eux, les achetaient une taille ou deux au-dessus, ce qui leur donnait une allure fragile et quelque peu androgyne, que Victor détestait, et même redoutait. Lorsque ses polos étaient neufs, Victor trouvait leur tombé trop mou, sans tenue, le pli du col trop lâche. Il n'aimait décidément pas les vêtements trop récents, l'aspect « gravure de magazine » de certains de ses camarades, toujours habillés à la dernière mode. De la même manière, il préférait la discrétion de Pauline, la fille Lafarge, à Vanessa Duchenne avec ses vêtements voyants, ses incessants changements de style et de coiffure.

L'adolescence de Victor ne sembla pas marquer de rupture. Sa mère n'eut pas besoin de chercher une nouvelle enseigne pour ses vêtements. Il resta également fidèle à ses amours enfantines, son amitié avec Pauline se renforça. Il grandit de 10 cm l'été de ses 15 ans, et changea quatre fois de pointure cette année-là. Les trois paires de mocassins achetées par Mme Lambert n'eurent le temps d'être portées qu'en une ou deux occasions. Elles étaient si peu usées qu'elle pensa les garder pour Baptiste.

Victor était un élève brillant. Aussi, après le baccalauréat, intégra-t-il les classes préparatoires du lycée Janson-de-Sailly à Paris. Il était interne : ce fut l'année de sa séparation d'avec le milieu familial. Les week-ends où il rentrait, il avait un appétit d'ogre. Tout lui semblait exquis. Il repartait avec des réserves de biscuits maison, des terrines, des pâtés. Victor travailla d'arrache-pied durant deux années. Lorsqu'il fut reçu à Centrale, sa mère lui prépara sa valise pour la saison d'hiver. Il n'eut besoin de rien de plus car Mme Lambert était une femme avisée. Lors des vacances de Pâques, à la fin de son séjour à la propriété, Mme Lambert proposa à son fils de l'accompagner chez Simon's pour son trousseau d'été. Sur les conseils de M. Simon en personne, enhardi par la présence de Victor, ils emportèrent en sus une chemise en chambray rose qui, tout en restant classique, avait une note plus jeune. Comme Victor était particulièrement raisonnable, M. Lambert décida que son fils gérerait désormais ses propres dépenses. Il avait pris la peine auparavant de calculer le budget nécessaire et, partant de ce décompte, attribua une somme mensuelle à Victor. Les vêtements faisaient partie de ce budget. Aussi, début septembre, c'est Victor qui proposa à sa mère de l'accompagner chez Simon's, afin de ne pas avoir à faire ses achats à Paris, où il n'avait pas ses repères et où les prix, disait-on, étaient plus élevés. Mme Lambert ne se fit pas prier ; ensemble, ils constituèrent sa garde-robe d'hiver. Ce que Victor avait inauguré cette année-là devint un rituel. Désormais, à la fin de l'été, peu avant son retour à Paris, Victor rendait visite à M. Simon, accompagné de sa mère.

Il passa cinq ans à Paris. Il rencontra là nombre de ses amis, mais il savait déjà que sa vie ne se déroulerait pas dans cette ville bruyante. Aux vacances de Noël de sa dernière année d'études, il retourna à la propriété et se rendit à une fête donnée par un de ses cousins. Il revit Pauline, à la fois changée et pareille à elle-même. Ils passèrent la soirée à discuter : ils avaient cinq ans de silence à rattraper. Aussi, à minuit, quand la salle se vida, Victor et Pauline avaient encore mille choses à se dire. Leur conversation se poursuivit par courrier jusqu'en juin, date à laquelle Victor, diplômé, pouvait quitter Paris. Lorsqu'il revit Pauline, sa décision était mûre : il allait l'épouser. Le mariage eut lieu à la propriété, une belle fête dont on parlait encore. Victor et Pauline furent logés dans une demeure dont Mme Lambert avait hérité. Ils y effectuèrent des modifications discrètes mais astucieuses qui améliorèrent notablement la maison de la rue Vigne. À la rentrée, Victor emmena Pauline chez Simon's. Cette année-là, il prit deux chemises en chambray, une rose et une verte.

* *
*

Si le rapport intime d'une personne à la tradition familiale est toujours en partie conflictuelle, ici il paraît lisse, sans questionnement. Victor et sa mère témoignent d'une allégeance complète à la tradition qui leur a été transmise. Elle semble passer intacte d'une génération à l'autre. Même l'adolescence de Victor n'est l'occasion d'aucune rupture. Victor accepte depuis sa plus tendre enfance son assignation à la place d'aîné des mâles dans une chaîne des générations où il doit poursuivre et préserver l'œuvre et le bien de ses pères. À partir du jour de sa naissance, il hérite du nom de son père et portera certains vêtements, signes de l'appartenance à un milieu.

Même si ce sont des vêtements de ville, il s'agit en réalité d'uniformes. Un code strict en définit les couleurs, la marque, la façon de les porter jusqu'à leur usure, avant qu'ils soient cédés à une œuvre de charité. Le milieu dont est issu Victor est la bourgeoisie de province aisée, où l'on ne montre pas plus son bien que sa gêne, et où la manière de se vêtir ne change pas avec le temps. Coupes, matières et coloris traversent des décennies sans la moindre concession aux changements de la mode. D'une certaine manière, leur aspect intemporel contribue aussi à leur charme désuet.

L'attrait de Victor pour les polos usés, raidis par les lavages, témoigne de son attachement à une esthétique, à certaines valeurs. Il aime avoir une silhouette bien dessinée, aux contours nets, au risque de paraître parfois un peu à l'étroit dans ses vêtements. Sanglé dans ses polos comme un chevalier dans sa cuirasse, Victor, par sa tenue, est rappelé à son devoir, aux codes qui règlent sa conduite. Il reprend scrupuleusement à son compte les injonctions maternelles. Son respect des prescriptions vestimentaires de son milieu est sans faille, à l'image de sa mère. Dès l'âge de raison, celle-ci l'habille dans la meilleure maison de la ville, sur le modèle de son père. Objet de fierté de sa famille, il bénéficie d'un capital de confiance et poursuit naturellement la tradition en arborant ces codes. Sa mise dit son souci de décence, de discrétion et d'économie, enfin la valeur de l'effort, du mérite. Victor a du bien mais ne le gaspille pas, il fait attention à ses affaires. Si les couleurs passées lui plaisent, c'est qu'elles évoquent les choses anciennes que l'on conserve précieusement de génération en génération.

Son goût pour l'odeur du savon, pour les tissus rêches et empesés, pourrait être interprété dans le même sens, sans oublier toutefois que ce sont les sensations de son enfance qu'il retrouve également dans ce contact et ce parfum. Dans cette préférence appuyée, on décèle la défiance de Victor vis-à-vis de certains désirs que peuvent faire naître les sens : le rêche éradique toute tentation de volupté, l'odeur de la savonnette masque celle des corps, les couleurs délavées prémunissent du risque d'éblouissement des couleurs vives. Victor prend garde à toujours contrôler ses pulsions, éteindre, refroidir les mouvements du corps.

Quand ses parents lui accordent son indépendance financière, Victor gère son budget en prenant exemple sur eux. Bien que vivant à Paris, le royaume de la mode, il préfère retourner chez le fournisseur que sa mère avait choisi pour sa garde-robe d'enfant plutôt que de se risquer à choisir lui-même un magasin. Il demandera même à sa mère de l'accompagner dans ses courses : ses parents restent sur bien des points son modèle. Il règle sa conduite sur la leur. Notons qu'entre ses parents, les rapports sont organisés selon certaines règles. Le partage des tâches obéit à une ligne stricte. Un rapport de dépendance savamment orchestré au sein du couple permet à un certain équilibre de s'établir. Aux hommes, la nécessité de pourvoir aux besoins du ménage, aux femmes, la gestion de la vie domestique, notamment du linge. La mère habille mari et enfants. Les corps sont son domaine. Elle a porté, nourri, changé, baigné, bercé, baisé le corps de son enfant. À l'adolescence, généralement, une pudeur s'installe, une distance se crée, mais pour Victor, malgré la métamorphose de la puberté, du fait de cet extrême contrôle qu'il opère sur ses pulsions, rien ne change. Prenant modèle sur les rapports homme-femme de la génération précédente, il confie à sa mère le soin de l'habiller.

Héritiers involontaires de ce schéma, bien des hommes, comme Victor, n'achètent de vêtements qu'accompagnés. Nombreux sont ceux qui ne connaissent pas leur taille de veste, de pantalon, et même de sous-vêtements. Les femmes choisissent le plus souvent seules leur linge de corps. Les hommes, eux, délèguent puisque les chiffons sont le domaine réservé des femmes. Ils ne peuvent s'autoriser à empiéter sur ce terrain, au risque d'écorner une certaine image de leur virilité.

Tandis que la petite fille parvient à s'approprier son corps, objet de tant d'attentions maternelles, et reprend à son compte les soins dont elle a fait l'objet (plaisir du bain, crèmes et onguents), le garçon reste « en rade », maladroit, et finalement ne fait cas que d'une partie fort limitée de son corps : ses muscles et son sexe. Pourtant le petit garçon, comme la petite fille, a été tout un temps l'objet des caresses et des cajoleries maternelles, mais si la fillette, en jouant à la poupée, a fait siens les gestes maternels et pourra les appliquer tant à ses enfants qu'à elle-même, le garçon soucieux d'une image virile est mis en demeure de refouler ce plaisir passif au profit d'une affirmation active de sa puissance. Le corps investi, désiré, est le corps de l'autre : certains hommes ne rechignent pas à habiller leur femme, et n'ont aucune hésitation sur la taille de ses sous-vêtements – même s'ils ne connaissent pas la leur.

Le souci de soi, l'attention portée à sa mise signifient se penser comme objet de désir pour l'autre. C'est cela que Victor, comme beaucoup d'hommes, ne peut assumer en dehors d'une relation « effective » avec une femme.

La rencontre avec Pauline permet à une dimension de jeu d'être réintroduite puisque, l'année où sa jeune épouse l'accompagne, une chemise verte est ajoutée à la panoplie habituelle. Dans un jeu de séduction réciproque, il se laisse faire et change imperceptiblement les règles instaurées par sa mère. Une autre femme l'habille...

FRÉNÉSIE
OU NE JAMAIS EN FINIR AVEC LE MANQUE

Céline ne quitta l'appartement qu'après le déjeuner. La grisaille de novembre donnait l'impression que l'après-midi touchait déjà à sa fin, et elle partit avec un sentiment d'urgence. Il faisait froid, elle hésita entre son manteau en tweed et son trench en cuir plus léger. La lumière faiblissait déjà, et elle sentit en s'approchant de la fenêtre le vent glacé qui filtrait à travers les interstices. Elle attrapa son tweed, une écharpe et un bonnet puis claqua la porte. Le froid était plus saisissant qu'elle ne l'imaginait. Elle n'eut pas le courage de faire le chemin vers Saint-Germain à pied et s'engouffra dans le métro. Il y avait près de trois semaines qu'elle ne s'était pas accordé une sortie shopping car elle s'inquiétait pour ses finances. Céline avait ses parcours favoris : elle choisit celui qui débutait par la rue Saint-Sulpice et celle du Vieux-Colombier, contournait la parfumerie et, suivant un trajet en épingle à cheveux, s'achevait par la rue du Four et la rue Mabillon. Dans les bons jours, le parcours n'intégrait que certaines boutiques, ses favorites. Les jours moins fastes, Céline les écumait toutes.

Rompue à cet exercice, la jeune femme longeait d'abord d'un air détaché les portants, puis figeait soudain, et, avec la précision d'un chat bondissant sur sa proie, elle décrochait d'un rayonnage une chemise, une robe ou un pull. La sûreté de son choix et sa célérité auraient pu la faire passer pour une virtuose du shopping. Il était rare cependant que Céline achète dans les premiers magasins : elle commençait par faire un repérage et classait par ordre décroissant les articles qui avaient sa préférence. Puis, à la troisième ou quatrième boutique, elle perdait le fil de son classement et ne parvenait plus à différer l'achat. Le plus souvent, elle fixait son choix sur un basique : un dixième exemplaire des pulls noirs qui encombraient son placard, par exemple. À peine le code de sa carte bleue effectué, elle regrettait son achat. Qui remarquerait cette nouvelle tenue ? Elle s'inquiétait soudain, glissait une main dans le sac pour vérifier la solidité des coutures, ou bien que la laine ne grattait pas. Elle fuyait alors dans la boutique suivante avec cette fois la volonté de faire un achat décisif. Mais la réflexion cédait la place à une sorte de frénésie. Les pièces s'accumulaient dans la cabine d'essayage. Céline passait et repassait des vêtements plusieurs fois. Une fois le modèle choisi, elle ne pouvait trancher sur la couleur, comparait, interrogeait une vendeuse, puis une deuxième, pour en définitive prendre un autre modèle. Comme les paysages dans les trains, le rythme s'accélérait et les boutiques défilaient. Alors qu'elle parvenait, au début de l'après-midi, à feindre l'indifférence, elle était cette fois saisie d'une sorte d'emballement. Elle n'en finissait plus d'arpenter les rues, marchant sans but dans l'attente d'un point de rupture, d'un événement qui arrêterait sa course.

La tension montait, mais, tant qu'elle ne trouverait pas le vêtement merveilleux qui la comblerait, Céline continuerait d'acheter. Elle dépensait des sommes de plus en plus importantes. Hésitante, elle prenait un, puis deux, puis trois articles, sans que rien ne lui plaise vraiment. Leur valeur cumulée ne la satisfaisait pas plus.

La tombée du jour, avec la fermeture des magasins, provoquait chez Céline un paroxysme d'angoisse. Peu avant l'heure fatidique, elle était prise d'affolement et ses gestes devenaient saccadés. Traversant les magasins au pas de course, le regard glissant le long des rayonnages, manipulant les cintres avec brusquerie, elle semblait effectuer une sorte de pantomime désarticulée.

Quand, peu après 19 heures, la dernière boutique fermait, Céline emportait le énième pantalon qu'elle avait acheté sans l'avoir même essayé, et se retrouvait seule à la nuit tombée avec ses sacs accumulés de la journée : l'excitation du shopping cédait alors la place à la tristesse, à une intense fatigue.

Recomptant ses paquets, craignant toujours d'en avoir perdu un, elle avait envie de pleurer, mais les larmes ne venaient pas. Céline, que plus rien ne pressait, décidait malgré le froid cinglant de rentrer à pied. Elle se remémorait la liste de tous ses achats, cherchant à retrouver un peu de l'excitation de l'après-midi. Elle appréhendait l'heure où, dans sa chambre, elle ferait des essayages et essuierait la déception qui suivait chacune de ses virées. À ce moment-là, rien de ce qu'elle avait acheté ne correspondait plus à l'idée qu'elle en avait eue dans les magasins. Amère, Céline faisait alors le total de ses dépenses, et cela lui donnait le vertige. Elle recomptait plusieurs fois, s'interrompant et reprenant depuis le début, article par article. Elle n'arrivait jamais à un compte exact car elle arrondissait toujours les prix. Aussi le total restait-il toujours un peu flou, arrondi lui aussi. Céline préférait ne pas savoir précisément le prix de ses écarts. En proie à des regrets, elle envisageait parfois de retourner dans un magasin pour changer tel ou tel article, poursuivant ainsi sa quête sans fin.

* *
*

Céline est atteinte d'une folie discrète qui pourrait très bien passer inaperçue si on ne la suivait pas dans Paris lors d'une après-midi de shopping. Cette seule journée suffit pour révéler sa faille intime. Céline perd, sans qu'aucun événement ne vienne déclencher ce phénomène, la liberté de son comportement. Tout à coup, elle bascule d'un mode à un autre : d'abord mesurée et réfléchie, elle devient insatiable, comme droguée, dans son rapport aux vêtements. Elle tente bien de freiner cette tendance : elle a pu différer jusque-là le moment de ses débordements. Peut-être d'ailleurs s'est-elle autorisé un dérapage d'autant plus franc que le moment choisi a été précédé d'une longue période d'abstinence. Céline a déjà l'habitude de son symptôme, mais elle sait qu'au bout d'un temps elle devra lui laisser libre cours. Elle s'est habituée à vivre avec et, s'il ne désorganise pas complètement son existence, elle doit toutefois s'accorder des moments de « lâchage » où le symptôme reprend ses droits. C'est à ce prix qu'elle garde un semblant de vie, maintient certains investissements, parvient à nouer des liens, réservant sa « folie » au domaine du shopping. Céline est, d'ailleurs, pour cette raison, toujours solitaire lors de ses « virées ».

Ici, le rapport au vêtement n'est pas de désir, mais de besoin. Avec une avidité qu'elle ne peut masquer, elle est en proie à une compulsion d'achat récurrente.

Céline est dépendante d'un comportement. Elle est aliénée au sens où elle perd sa liberté de jugement. On a tendance aujourd'hui à regrouper cette forme d'assujettissement (qui n'est pas nouvelle : Emma Bovary en était déjà atteinte) dans le large spectre des conduites addictives, définies par la consommation irrépressible d'un objet quel qu'il soit : il peut s'agir de drogues, d'alcool, de nourriture, de jeux pathologiques ou d'achats compulsifs. Ce mode de rapport est caractérisé par la dépendance à ce comportement et la place centrale que l'objet addictif occupe dans la vie du sujet. Les addictions diffèrent selon qu'il s'agit d'une dépendance à une substance ou à un comportement.

À travers ces conduites addictives, l'individu cherche à retrouver des sensations de la toute petite enfance. Celles-ci lui restituent le vécu de ses premiers liens avec la mère, quand il n'avait pas encore conscience d'être un individu séparé. Son comportement constitue alors une tentative de retrouver l'objet maternel perdu, car ces premières relations n'ont pas permis au sujet d'acquérir une sécurité intérieure suffisante. Dans cette répétition, le sujet cherche vainement à retrouver cette relation impossible. Les retrouvailles avec l'objet perdu sont marquées par une sensation de bien-être qui peut aller jusqu'à la somnolence : la somnolence comateuse de l'alcoolique ou du toxicomane renvoit à celle, bienheureuse, du bébé après la tétée.

L'acheteuse compulsive ne semble pas, quant à elle, accéder à ce bien-être ; elle ne se déprend pas de sa tension interne, de son excitation. L'acheteuse de vêtements, le plus souvent une femme (les hommes consomment plutôt de la hi-fi et des CD), cherche le moment où elle retrouvera dans le miroir une image d'elle qui la contente, la rassure. Le premier miroir est le regard de la mère, dans lequel l'enfant se mire. L'acheteuse compulsive répète donc inlassablement ce moment de retrouvailles avec la mère, cherchant la complétude fusionnelle où, dans une captation réciproque, mère et enfant se séduisent. L'enfant y gagne ce supplément narcissique, cette prime d'amour qui lui permettront de constituer la base de son assurance, mais parfois l'opération échoue. Il ne parvient pas à constituer ce socle de confiance.

Inconsciemment, l'acheteuse compulsive reste donc obnubilée par ce moment ; cela prouve qu'il y a eu comme un défaut dans la constitution du lien entre elle et sa mère, quelle qu'en soit la raison. L'intériorisation de bonnes expériences avec la mère lui aurait permis d'acquérir une sécurité suffisante, de pouvoir être seule. Des circonstances particulières ont-elles perturbé la mise en place de ce lien sécurisant ou encore la mère, elle-même marquée par ses propres doutes, n'a-t-elle pu faire autrement que de projeter sur son enfant son manque de confiance en elle ? Une séparation précoce a-t-elle fragilisé ce lien ? L'apparence de l'enfant a-t-elle eu une place si importante dans l'investissement maternel qu'il a fini par faire sienne cette condition de l'amour de sa mère ?

Soumise à la disparition, au caprice, à l'inconstance, à la défaillance de son premier objet d'amour, la relation de l'enfant à la mère est vécue comme inquiétante. L'acheteuse compulsive s'accroche à cet instant trop fugitif du lien à la mère où, l'enveloppant de son regard, sa mère l'a reconnue comme sienne, et a partagé avec elle un moment de bonheur. L'intensité inoubliable de cette première relation peut se révéler dangereuse. L'alcoolique et certains toxicomanes restent ainsi fixés aux premières sensations orales, tandis que l'acheteuse compulsive cherche désespérément dans le miroir le regard aimant de sa mère. Tout un chacun d'ailleurs, dans la saveur de certaines caresses, de certaines étreintes, se rappelle de manière confuse ses premières amours. Il y a mille et une façons de chercher à retrouver l'objet perdu.

Redoutant cette perte plus que tout, la personne addictive évite ce risque en troquant le lien avec autrui contre un objet qui ne lui échappera pas. Céline va chercher à maîtriser son objet, le vêtement, par des aménagements de type obsessionnel. Elle accumule les habits, compte ses sacs, vérifie qu'elle n'a rien perdu. Par ailleurs, elle est en proie à des ruminations et doute sans fin de ce qu'elle s'est risquée à choisir.

Céline investit démesurément le vêtement. Sa demande d'amour, au lieu d'être adressée à autrui, s'est déplacée sur son image dans le miroir. L'accumulation de vêtements est sa danse de Salomé. On ne voit ici, comme rien ne peut advenir, que l'incessant recommencement de cette scène. Des tout premiers liens, seule est gardée la trace du passage par le corps. Au lieu d'engager une relation pleine et entière avec un autre individu, Céline ne rencontre que son image dans le miroir.

Le sujet adulte n'a conservé vivant des tout premiers liens que le souvenir de son corps traversé par un intense plaisir qu'il ne cesse de vouloir retrouver, réduisant, comme dans cette histoire, la relation avec la mère à un pur regard. Il oublie que ce plaisir était échange de sujet à sujet : en réalité la mère n'est pas sein ou regard, mais goût du lait, odeur, chaleur, intonation de voix, chant, douceur ou brusquerie, sourires, paroles et rêveries, qui permettent de traduire les sensations chaotiques de l'enfant en une expérience humaine. Garder en lui cet échange subtil est l'opération que n'a pu faire jusque là le sujet additif.

LE PYTHON ROUGE
OU DANS LA PEAU D'UNE FEMME FATALE

Quand je mets mes bottes en python rouge, je sais ce que c'est que d'être une femme super-belle.

Le regard des hommes glisse sur moi jusqu'à mes pieds, s'électrise et remonte comme une caresse, détaillant mes courbes. Mes formes naissent de mes bottes. Le talon aiguille appuie sur un point sensible du pied et donne l'impulsion. Le mollet, enserré dans son étui de python rouge, se tend et communique à la cuisse le mouvement. Les fesses s'arrondissent et les reins se cambrent, le buste se retrouve au sommet de la vague suivante, pointant en avant. De profil, mon corps prend une jolie forme de serpentin ondulant au rythme de la marche. Mes vêtements me serrent et soulignent ma taille fine. Ils sont étau, cuirasse, écrin de mes membres déliés.

Seule compte leur capacité à épouser mon corps au plus près, au plus serré. Leur étreinte me rassure autant qu'elle me contraint. Ils me soutiennent, me contiennent, écrasent ma peau contre la leur, gomment l'inutile et le temps qui passe.

Chaque matin, l'épreuve de Cendrillon se renouvelle : entrer dans la taille 36 de mon jean me soustrait au sort commun des mortels, ceux qui grossissent, ceux qui vieillissent.

Mes vêtements se succèdent, tous identiques, aux mêmes mesures, choisis pour l'éternité. Je traverse ma vie comme une ombre au soleil fixe, toujours là, identique à moi-même. Mes amis aiment cela, ils savent à quoi s'attendre. Jamais de vagues, peu d'histoires, je me tiens à l'écart, tranquille, disponible.

Alors parfois, dans la langueur de mes journées solitaires, j'enfile mes bottes en python rouge pour voir. Soudain, l'ombre s'efface, je deviens flamme, serpent. Un peu comme un python rouge, justement.

Les hommes le sentent et sont attirés par le danger. Avec ces bottes, je mets toujours un rouge à lèvres carmin, lisse et brillant comme un fruit. Je suis Ève, le serpent et la pomme.

Mais pas question de croquer trop vite le fruit défendu, je connais l'histoire et tiens à profiter du jardin d'Éden. Aux terrasses, les hommes me suivent du regard, oubliant celle qui est assise à leurs côtés. Je m'installe, croisant haut mes serpents de pieds, prenant une cigarette entre mes lèvres rouges. Le premier me propose du feu, le deuxième appelle le garçon, le troisième... Ah non ! Jeanneton connaît la chanson et ne s'en laissera pas compter. D'un regard noir, elle les tient à distance et prend sa revanche.

Seule, je savoure mon café, la cigarette et les regards qui me caressent. De temps en temps, je me demande s'ils voient que j'ai la langue fourchue, mais ma bouche rouge la dissimule parfaitement.

Les rues de mon éden sont pleines d'Adam émerveillés qui n'en croient pas leurs yeux de ce qu'est devenu leur côte. Je jette un regard dans la sébile de leur désir qui s'enflamme aussitôt, réchauffant mon cœur froid. Je poursuis ma route sans m'arrêter, indifférente à leur supplique. J'ai bien assez à faire de moi-même, de l'air qui soulève ma poitrine, du froid qui gagne du terrain.

Je sens tous mes mouvements, de la pointe de mes bottes à la racine de mes cheveux, tirés en arrière dans une queue-de-cheval. Je suis tendue comme un fil de la tête aux talons. Mes vêtements, complices, m'enserrent, me maintiennent et m'aiguillonnent. Je caracole en tête, tendue, exaltée, à la limite de la douleur. Le bruit de mes bottes sur les pavés accompagne ma course, toujours plus loin, toujours plus vite. Le battement devient assourdissant. À cette vitesse, la tête me tourne légèrement et le monde autour devient flou.

Je perds la notion du temps et pourrais marcher des heures comme un petit soldat. L'air s'ouvre et se referme derrière moi, m'isolant de la foule. Je guette le rythme de mes pas, le balancement de ma tête, la tension de mes mollets dans mes bottes de sept lieues. Je suis mouvement et sensation, épée qui fend la bise, étoile filante, cri dans la nuit.

Mon ivresse est un désert dont je suis la seule occupante. Le chant des sirènes monte de mes bottes toujours plus fort, m'encerclant, m'isolant. Les autres ne sont que prétexte, la proie, c'est moi.

* *
*

Les vêtements serrés ont une fonction particulière : ils épousent le corps au plus près et ainsi l'exhibent aux yeux des autres en en redessinant les contours.

Dans cette histoire, qui rappelle beaucoup de cas

d'anorexie mentale, le vêtement participe de la volonté de maîtrise du personnage sur son corps. Celui-ci ne doit pas se modifier, de quelque façon que ce soit. Le vêtement est alors utilisé comme un étalon de cette volonté de toute-puissance sur le corps : le sujet défie le temps et ses bouleversements.

Dans l'anorexie mentale, le vêtement est souvent surinvesti comme zone frontière entre le corps et le monde extérieur. Il permet de vérifier que le corps est parfaitement maîtrisé, n'a pas grossi, ne s'est pas modifié. Le vêtement choisi est souvent cintré, exhibant le corps dans une dimension de défi, ou, au contraire, large pour dissimuler l'ampleur de la perte de poids.

Plus généralement, dans la vie quotidienne, l'essayage de la taille de référence habituelle est pour beaucoup de femmes une épreuve à laquelle il ne s'agit pas d'échouer, sous peine d'un vague sentiment d'échec personnel. Devoir s'acheter des vêtements d'une taille supplémentaire signifie en effet que le corps a une fois de plus échappé à la volonté, et l'image renvoyée par le miroir ne correspond plus à l'image de soi que l'on a en tête. Pour certaines, cette impression est insupportable, il faut à tout prix empêcher la modification du corps, ou plutôt de l'image corporelle, sous peine de ne pas se reconnaître. Le vêtement sert alors à faire le lien entre les différents états du corps : le vêtement cintré, immuable, donne l'illusion que le corps lui-même ne change pas et permet d'assurer une certaine continuité rassurante de l'image de soi.

En effet, la tenue vestimentaire, codifiée, est porteuse d'une certaine image du sujet. Elle peut devenir le trait identificatoire principal, c'est-à-dire ce par quoi la personne se reconnaît comme étant elle-même. L'immuabilité rigide de ce trait indique le peu de marge de manœuvre dont le sujet dispose par rapport à une image de soi fragile.

Comment cela arrive-t-il ? Tout se passe comme si le sujet ne disposait pas dans son psychisme d'une image stable et fiable de lui-même. Or celle-ci, sur laquelle viennent se greffer par la suite les différentes identifications, est à la base du sentiment d'identité. Elle se constitue au sein de la relation infantile à la mère, dont le regard sur son enfant participe à l'élaboration de l'image interne. Une fragilité particulière de l'image de soi peut découler de failles dans la relation à la mère. Par exemple, lorsque celle-ci est en proie à une dépression qui l'empêche d'être disponible pour son enfant.

Il arrive alors que le regard des autres soit recherché en permanence pour réparer la défaillance de ce premier regard. Le sujet guette son identité dans le regard de l'autre parce qu'il ne dispose pas d'une identité assurée à l'intérieur de lui-même. Le vêtement lui permet de relier les différentes images de lui-même en une entité unique, qu'il pourra fixer mentalement. Cette image lui tient lieu de représentation mentale de soi et, à ce titre, ne doit pas être modifiée, pour assurer la permanence de l'identité.

Le personnage de l'histoire se reconnaît profondément dans la silhouette mince et serpentine dessinée par les vêtements collants. Elle se construit une image qui rejoint probablement un idéal largement véhiculé par la publicité et les médias : minceur et jeunesse. Cela fait naître chez elle un sentiment d'exaltation narcissique.

Les bottes rouges contribuent tout particulièrement à la constitution de cette image de « femme super-belle ». Elles viennent pimenter la tenue et y ajoutent un élément sexuel. Cet accessoire nous dit quelque chose de l'identification féminine de l'héroïne : une femme captivante, dangereuse comme un serpent, désirée par les hommes mais qui ne leur cède pas.

Le rouge insiste sur le caractère voyant et sexuel de ces chaussures. Or accessoire féminin et sexualité renvoient inévitablement à la question du fétichisme, au sens freudien du terme. Pour Freud, le fétiche (des chaussures de femme le plus souvent, mais aussi des bijoux, de la lingerie, etc.) est le substitut du « pénis manquant » de la femme. Il vient « à la place de », dans une équation symbolique qui laisse de côté la logique, pour combler ce manque maintenu à distance de la conscience car il renvoie à la castration et à l'angoisse qui l'accompagne. Ainsi, on peut penser qu'il y a quand même un petit pénis quelque part (le fétiche), même quand il n'y en a pas...

Les bottes en python rouge jouent ce rôle de substitut phallique. Elles sexualisent la silhouette, tout en construisant l'image d'une « super-femme », une femme phallique qui aurait échappé à la castration.

La passion des chaussures, si répandue chez les femmes (mais aussi chez les hommes), peut ainsi se comprendre en rapport avec le complexe de castration, comme une tentative indéfiniment réitérée de s'« en rajouter un petit peu »...

L'ABSENT
OU COMMENT LE VÊTEMENT TISSE LE SOUVENIR

Il me reste deux choses de mon grand-père : un peignoir et un pull noir.

Le peignoir, plutôt une robe de chambre, n'a rien de ces choses avachies en éponge qu'on trouve accrochées aux patères des salles de bains et dont l'aspect évoque immanquablement une intimité moite que l'on voudrait maintenir à distance.

La robe de chambre de mon grand-père est d'un raffinement inouï. En tissu de laine, elle alterne harmonieusement de fines rayures bleu marine et de larges rayures bordeaux, qui de loin se fondent en un ton chaud uniforme. Elle vient de chez « Dom Juan », 27, rue de Clignancourt, à Paris, et constituait l'unique élément de luxe de sa garde-robe.

Sans doute lui avait-elle été offerte à une occasion particulière, à Noël ou pour son anniversaire, s'intégrant dans la stratégie de ma grand-mère lorsqu'elle faisait des cadeaux à son époux. Son modeste salaire de couturière ne pouvant faire face à son appétit de dépenses, elle avait coutume de prélever sur l'argent du ménage des petites sommes pour faire face à ses besoins divers. Ainsi, j'ai toujours entendu dire qu'elle mentait à mon grand-père sur le prix des vêtements qu'elle lui achetait, de façon à pouvoir mettre un peu d'argent de côté pour nous acheter des cadeaux, les multiples petits présents dont elle nous inondait à chacune de ses visites.

Il se peut aussi que cette robe de chambre de luxe lui ait été offerte par une autre femme, une de ses innombrables maîtresses dont l'existence affleurait derrière de longues absences inexpliquées et le regard brouillé de larmes de ma grand-mère.

Le pull noir était tout le contraire de la robe de chambre : en grosse maille noire, il avait un côté simple et rustique, et paraissait ne pas appartenir au même homme. Pourtant, à la différence de la robe de chambre, que je ne l'avais jamais vu porter, je me souvenais bien de mon grand-père avec ce pull, les manches retroussées, dans sa maison de campagne, longtemps après la mort de ma grand-mère.

C'est d'ailleurs pour cette raison que j'avais récupéré ce pull, à 15 ans, peu de temps après sa mort. Il gardait l'empreinte de celui qui l'avait porté. On y retrouvait l'odeur du feu de cheminée et surtout celle des Gitanes qu'il fumait l'une après l'autre, immobile dans le grand salon de sa maison, seul même au milieu de sa famille.

Il parlait peu et avait la réputation d'être un homme difficile, irascible. Sa vie était pleine de mystères insondables et ses seules manifestations de tendresse étaient les rudes caresses qu'il prodiguait à la cadette de ses petits-enfants, que j'étais. Il ne s'entendait pas avec son fils, mon père, avait lassé sa femme par ses innombrables infidélités, et avait perdu ses meilleurs amis à cause de ses convictions politiques fidèles aux premières heures du communisme. À sa mort, il ne restait plus grand monde pour m'en parler : sa femme était morte dix ans plus tôt, et son fils un an auparavant, jour pour jour.

J'ai souvent porté son gros pull noir, à la campagne

d'abord, puis je l'ai ramené avec moi à Paris. Je l'enfile lorsque je reste seule chez moi, à traîner comme il l'avait fait à la campagne pendant de longues années. Je pense à peine à lui lorsque je le porte et, pourtant, je me rends compte combien ces deux vêtements différents m'en ont plus appris sur lui que les quatorze années de sa présence à mes côtés.

Ce pull me révèle sa mélancolie, sa solitude, l'âpreté de ses combats, son attachement à la terre et son inaptitude aux compromis.

Sa robe de chambre évoque le mystère de ses aventures parisiennes, l'amour des femmes qui l'a accompagné sa vie durant, sa sensualité cachée dont parlent encore à mots couverts, maintenant qu'elles sont devenues de vieilles dames, des voisines, anciennes amantes, émues par le souvenir de la douceur de ses mains.

Ces impressions se sont diffusées en moi à mon insu, tout doucement, année après année, au contact de ses vêtements. Par touches légères, une caresse, une odeur, une impression dans le miroir, ont reconstruit un portrait de mon grand-père plus complet et plus profond que l'impression vague que j'en avais gardé. Ou bien serait-ce que leur présence a permis la résurgence de bribes de souvenirs, de phrases et d'images qui, sans l'ancrage dans ces vêtements, auraient peut-être disparu à jamais ?

Enfin, ces habits, je n'ai pas été la seule à les porter après mon grand-père. Je les ai prêtés aux hommes que j'ai aimés, l'un parce qu'il avait froid un jour, l'autre parce qu'il descendait préparer le petit-déjeuner après une nuit d'amour. Peut-être les ai-je aimés encore plus ce jour-là, ou bien différemment.

Longtemps après sa mort, un peu d'amour, enfin, s'en allait à travers eux vers mon grand-père.

Au pull et à la robe de chambre sont venus s'ajouter au fil du temps quelques autres vêtements masculins dans ma garde-robe : la chemise d'un amoureux disparu sans laisser d'adresse, un foulard, une veste noire élimée et un grand pull marin.

Chacun de ces vêtements transporte avec lui un peu de celui qui me l'a laissé. Je sens leurs bras fantômes m'enlacer affectueusement à travers eux. Ces chemises, pulls ou cardigans sont comme une part naïve de mes amants qui n'aurait pas encore appris leur désertion. Ils me restent fidèles, présents malgré l'absence qui les habite.

* *
*

Le vêtement participe ici à un travail de mémoire. Il aide à restituer par petites touches le portrait d'un être cher qui a disparu. Les caractéristiques du vêtement s'associent à des traits singuliers du personnage, ils fournissent une trame à la mémoire et des indices sur sa personnalité.

Cependant, un souvenir n'est jamais la restitution exacte d'un événement tel qu'il s'est produit : il est sans cesse remodelé, reformulé à la lumière du présent, dans le récit qu'on en fait. A fortiori, le souvenir d'une personne ressemble peu à un portrait fidèle de ce qu'elle a été. Il est influencé par la qualité de la relation établie avec l'autre, ainsi que par de multiples éléments du contexte passé et présent. Le peignoir et le pull noir brossent un portrait du personnage tel que l'imagine la narratrice. Elle projette sur son grand-père des éléments tirés de l'observation des vêtements qui lui restent, et remplit les blancs du souvenir.

De plus, garder un vêtement d'un être cher permet de fixer le souvenir, de lui attacher certaines caractéristiques qui donnent l'illusion de ne pas le perdre tout à fait, et de le rendre plus facilement disponible. Le vêtement fonctionne comme un déclencheur de souvenirs, il ressuscite une image vivante de l'autre. On le « voit » presque. Cela est dû au caractère très sensoriel de la mémoire, qui garde en réserve une multitude d'images mentales avec lesquelles nous ne parvenons pas toujours à entrer en contact. Il faut alors une « clé », c'est-à-dire un élément visuel, olfactif, auditif ou gustatif (comme la célèbre madeleine de Proust), pour en restituer l'ensemble. La mémoire fonctionne par analogies sensorielles et peut ramener à la conscience un souvenir enfoui, qu'on croyait oublié. C'est pourquoi le vêtement peut servir de garant du souvenir : il ouvre la porte aux images perdues de l'être aimé. L'habit s'anime et ressuscite un fantôme qui vient revivre un moment près de nous.

Car, au-delà du travail de mémoire, c'est le rapport à l'absence de l'autre qui est en jeu : une absence rendue présente par le vêtement qui lui survit. En revêtant la chemise ou le pull d'un homme aimé disparu, c'est à son absence, à sa perte que l'on pense.

Le vêtement participe alors à un travail de deuil. Il permet par sa présence de se représenter l'absent à l'intérieur de soi, à l'abri de la réalité extérieure qu'il a désertée. Cette présence intérieure accompagne le sujet, selon une intensité qui varie en fonction du temps écoulé depuis la perte. L'image pâlit peu à peu, à mesure que les investissements du sujet quittent un à un la représentation de l'absent. Celle-ci se fragmente en différents traits dont certains sont intégrés à la personnalité du sujet, par un processus d'identification au disparu. Ces identifications, que l'on pourrait dire partielles, expliquent pourquoi l'on conserve un vêtement plutôt qu'un autre : ce choix symbolise d'une certaine façon le trait de caractère élu. Ainsi, la narratrice se reconnaît sans doute dans la robe de chambre du séducteur et dans le pull du solitaire. Elle reprend à son compte ces traits de caractère en enfilant les vêtements de son grand-père.

Il est intéressant de noter que le fait de porter les vêtements d'un être disparu ou de les faire porter par d'autres ne relève pas du même processus psychique que la pieuse conservation d'objets ou de vêtements auxquels on s'interdirait de toucher. Une telle situation manifesterait l'échec d'un travail de deuil, comme si l'absent pouvait à tout moment réapparaître et reprendre sa vie à nos côtés. En même temps que la connaissance rationnelle de son absence, s'installe dans le psychisme une croyance « folle », irrationnelle, en son retour. Les vêtements constituent alors des souvenirs immuables, « momifiés », qui témoignent de l'incapacité du sujet à élaborer psychiquement la perte, et du caractère traumatique de celle-ci pour le Moi.

En revanche, habiller un homme aimé avec les vêtements d'un parent disparu (voire avec ceux d'un amour précédent) montre le caractère mobile des investissements amoureux. Le vêtement est alors le symbole du transfert de l'amour d'un objet à l'autre, installant ainsi une continuité entre les différents êtres aimés qui permet de les relier inconsciemment les uns aux autres. Aimer l'un prolonge l'amour pour l'autre, le relaie, le complète et, à travers l'être aimé du présent, se profile la longue liste des amours défuntes.

Dans l'histoire, un aspect non négligeable de ce transfert d'un lien d'amour par le biais du vêtement concerne les relations œdipiennes. Habiller un homme comme son père ou son grand-père, une femme comme sa mère, c'est jouer inconsciemment avec les représentations de l'œdipe sur la scène fantasmatique. Jusqu'à un certain point, ce fantasme infiltre et colore les relations amoureuses normales, et le vêtement ne fait que souligner de façon plus appuyée le lien entre la figure aimée et les images parentales, établissant ainsi une continuité inconsciente entre tous ceux qu'on a, un jour, aimés.

MARIA LINDER
OU LE TEMPS RETROUVÉ

Maria Linder avait longtemps été la plus jolie femme de Bordeaux. Ramenée de Paris, où le fils Lambert avait fait ses études, l'étrangère aux yeux noirs et à la chevelure de sirène avait d'emblée séduit toute la communauté bordelaise.

Très épris de sa femme, Lambert l'habillait chez les plus grands couturiers. Ensemble, ils aimaient faire le tour des belles boutiques de la ville. Ils sortaient avec les joyaux de la saison : les robes les plus chères, les étoles les plus précieuses. Princesse de la nuit, gansée dans ses robes de satin et de mousseline, Maria Linder était irrésistible. On ne pouvait se lasser de la peau cuivrée, des épaules charnues, de la poitrine ronde, des jambes fuselées et du port altier de cette femme.

Elle était la vedette de tous les spectacles, de toutes les soirées. Des années durant, la magie, de soir en soir, s'était répétée. Les premiers temps de son arrivée, certaines avaient pu prendre ombrage de sa beauté, mais sa loyauté envers son mari, le bonheur qui émanait du couple qu'ils formaient, sa grâce et l'intérêt qu'elle portait à chacun eurent raison des résistances les plus farouches.

Maria était d'une nature romanesque et sauvage, et

si, au début, l'amour fougueux de son mari, les déclarations enflammées d'un consul espagnol, d'un ministre argentin, la ferveur secrète d'autres admirateurs auxquels elle n'avait laissé aucun espoir avaient suffi à assouvir les exigences de son tempérament fantasque, les maternités et la routine de l'amour conjugal finirent par avoir raison de sa beauté arrogante. Maria restait une belle femme, mais elle perdit son allure féline, qui faisait son incroyable succès. Avec les responsabilités plus importantes de Lambert et les enfants en bas âge, les sorties du couple se firent plus rares. Reléguée à la propriété, Maria prit de l'embonpoint, quelques kilos chaque année, qu'elle se promettait de perdre sous peu. Elle se refusait désormais à acheter de nouveaux vêtements avant de s'être débarrassé de ses kilos superflus.

Des années passèrent. Maria attendait de retrouver sa ligne. Elle avait tant de robes : pourquoi en achèterait-elle de nouvelles qui ne lui iraient plus quand elle aurait perdu du poids ?

Peu à peu, la plupart de ses vêtements devinrent trop étroits. Maria ne portait plus que quelques jupes élimées, mais ne s'en souciait pas. Alors que ses amies abusaient des services du Dr N., le plus expert des chirurgiens plasticiens de la région, Maria n'utilisait même pas une crème de beauté.

L'été de ses 52 ans fut marqué par une invasion de mites qui eurent raison du mausolée de sa jeunesse. Elles firent une orgie de soie et de dentelles, d'organdi, de percale, de coton, de jersey et de cachemire. Des robes fastueuses de sa jeunesse, rien ne resta. Maria pleura sur chacune de ces dépouilles. Un matin, avec l'aide du jardinier, elle fit un grand feu dans le parc, y jeta toutes les robes mitées, et regarda s'envoler en fumée toute sa beauté perdue. Cette année-là, Maria perdit 6 kilos sans même faire de régime ; autour d'elle, on dit qu'elle avait pris un coup de vieux. L'hiver, on ne vit Maria ni au Capitole, ni au théâtre, ni à l'opéra dont elle était pourtant une fidèle abonnée. Des rumeurs circulèrent à propos d'une certaine maladie.

Quelques mois plus tard, une femme mûre entra après bien des années dans les boutiques de la rue Sainte-Catherine. Elle y alla seule, cette fois, et commença par regarder les robes du soir, sachant qu'elle n'en essaierait aucune. Elle semblait perdue dans les rayonnages de vêtements plus classiques : tailleurs et chemises dont elle savait qu'ils siéraient à son âge. Une vendeuse qui devait avoir tout juste 20 ans vint à sa rescousse et lui proposa un assortiment de tenues. Maria essaya ce que celle-ci lui indiquait ; elle regardait, incrédule, la femme entre deux âges, à la mise sérieuse, que lui renvoyait la grande glace. Elle prit conscience qu'elle ne connaissait pas cette femme. Elle se fia donc aux conseils de la jeune fille. Maria réalisa que cela faisait quatorze ans qu'elle n'avait pas fréquenté cette rue ; rien n'avait véritablement changé, ni les larges trottoirs pavés, ni l'allée de platanes sur le terre-plein central ; quelques piquets avaient été plantés pour interdire l'accès des trottoirs aux voitures. À l'époque, Jean-Jacques garait toujours la Mercedes sur l'esplanade, au risque de se la faire enlever. Presque rien de nouveau, donc, même dans la mode de la saison : les décolletés en bénitier revenaient, ainsi que les vêtements transparents et les imprimés léopard. Elle avait tout ça. Non, elle avait eu tout ça jadis.

Elle se remémora la robe léopard à manches raglan, la chemise à col bénitier en lamé or qu'elle portait le jour où elle avait monté les marches du palais des festivals. Elle pensa à ses achats présents, d'une neutralité qu'elle avait toujours fuie. Elle sut que les années qui se profilaient devant elle étaient neuves, que la Maria Linder qu'elle avait été entre 20 et 30 ans et qu'elle avait souhaité ressusciter entre 30 et 40 était morte. Elle aurait 54 ans cette année ; elle avait faim, l'air était doux, une légère brise caressait sa peau et décoiffait ses cheveux. Elle se sentait légère et gaie comme après avoir fait une rencontre capitale. Elle pensa qu'aujourd'hui elle avait rencontré Maria Linder.

* *
*

Qu'est-il arrivé à Maria Linder, qui recouvre ses robes anciennes d'une housse et ne prend pas la peine de protéger sa peau, qui remet inlassablement les mêmes jupes élimées et laisse grimper les chiffres de sa balance ?

Si elle se néglige et semble renoncer à tout investissement narcissique, elle conserve pourtant précieusement ses robes, usées pour certaines, trop ajustées pour la plupart. Lui suffirait-il d'endosser un vêtement imprégné de souvenirs pour faire revivre la femme qu'elle a été ?

Maria ne veut rien savoir du temps qui passe. Elle refuse de perdre son arrogante beauté, aussi l'a-t-elle laissée en gage dans sa penderie. Ce n'est qu'à ce prix qu'elle parvient à la garder, sans toutefois pouvoir en jouir. Les printemps peuvent se succéder, la peau prendre de nouvelles rides : les robes, protégées dans leurs housses, gardent le lustre du passé.

Fixée à l'image de soi héritée de ses années de jeunesse, Maria ne peut supporter l'écart entre son image dans le miroir et celle que lui renvoyaient ses admirateurs. Le récit montre combien elle a investi son immense pouvoir de séduction, au point qu'il a déterminé pour une part son mariage. Elle a choisi un homme qui vénère cet aspect de sa personnalité et veut encore augmenter sa séduction en la parant des atours les plus luxueux. Pour Lambert, qui la possède et la montre à l'envi, elle incarne sa puissance. En retour, elle se sent valorisée par la place qu'il lui atribue. La difficulté de vivre de Maria, après quelques années, révèle sa fragilité, montre combien elle est tributaire de cette position. Quand l'intérêt de son mari diminue, quand son succès faiblit, elle délaisse le présent pour le passé, la réalité pour un fantasme. Son succès rassurait son narcissisme, mais la condamnait à occuper une certaine place au sein de la relation. Elle voulait incarner pour tous un pur objet de désir, sans même en profiter, car son enjeu à elle est d'être un rêve et non d'user de sa séduction.

Si les ans marquent la peau et usent les corps, l'inconscient ne connaît pas le temps. Ainsi certains rêves permettent de retrouver des souvenirs qu'on croyait oubliés. Dans le cas présent, rien n'est moins naturel que de perdre ce à quoi on a tenu.

Jusqu'à l'invasion des mites, chaque robe gardait caché mais intact le corps de ses 20 ans. La destruction de ses robes, rongées par les mites, la réalité abrupte de leur disparition, forcent Maria à évoluer. Elle accuse le coup et, face à cette perte, commence par brûler ses vêtements, comme on fait disparaître le corps de ses morts. Elle met un terme à ce qui est en cours de décomposition. De chaque robe, elle avait fait un récit, un souvenir. Elle semble perdre ses atours, mais ce qu'elle perd en réalité, c'est le fantasme de l'éternité de sa beauté dont les robes étaient garantes. Elle n'avait pu jusque-là remanier l'image d'elle-même constituée dans ses années de jeunesse, et gardait à sa beauté un statut particulier. Tout en sachant consciemment qu'elle l'avait perdue, elle pouvait, dans l'inconscient, dénier l'irréversibilité du temps et rester dans l'illusion de la permanence de sa jeunesse. Aussi les robes sont-elles devenues des fétiches parce qu'elles masquent la perte tant redoutée. Elle les préserve, les adore, sans pourtant jamais les porter, ce qui témoigne de leur valeur particulière. Et c'est au moment où sa collection fétichisée est détruite que l'illusion tombe, et que Maria est confrontée à son angoisse, liée à la perte de son pouvoir de séduction.

Si les symptômes que Maria présente après l'invasion des mites évoquent une dépression – perte de poids, abandon des centres d'intérêt et des plaisirs, repli sur soi –, elle engage en réalité un travail de deuil. Dans *Deuil et mélancolie*, Freud repère, au niveau comportemental, cette similitude entre l'expression de la dépression et du deuil, et construit le modèle de la dépression en référence au deuil. La dépression serait causée par un travail de deuil impossible en raison des sentiments contradictoires pour l'être aimé et perdu. Contrairement à ce qui a lieu dans le deuil, la perte ne concerne pas un être cher, mais le Moi, un Moi grandiose.

Cette perte oblige Maria à un changement de ses modalités de plaisir. Elle jouissait du fantasme de l'éternité de sa beauté, et vivait sans plaisir avec un corps fictif. À présent, elle ne maîtrise plus son image : elle est désemparée dans la boutique, et ne sait plus comment habiller ce nouveau corps. Aucune image de soi n'a encore remplacé celle qu'elle a perdue. Elle se laisse guider par la vendeuse. Au moment où elle se déprend de son identité de toujours, elle ne sait plus soudain qui elle est, elle accède à une impression de nouveauté et de liberté, et retrouve la dimension de plaisir. Elle ne s'affole plus des jours qui passent mais les savoure. Le fait de se remettre à acheter des vêtements neufs, à sa taille, témoigne qu'elle a fait le deuil du corps de sa jeunesse. En retournant dans les boutiques, elle cherche avant tout à reconstruire une nouvelle image d'elle.

Ce moment marque une ouverture. Certaines défenses très coûteuses sont tombées, notamment le déni du temps qui passe. Toutefois, la place que Maria occupait, celle de la plus belle, de la plus désirable, ne s'abandonne pas si aisément. Cette perte l'oblige à une modification complète de sa vie affective actuelle. Ce travail, elle ne l'a pas encore fait. Elle vit avec une grande intensité ce moment où elle récolte le fruit du travail de deuil effectué les six derniers mois. Elle peut dès lors réinvestir un nouvel objet : son corps exposé au temps et à la caresse du vent, pas une image mythique.

LE VÊTEMENT NOIR

Pierre était professeur de philosophie. Je savais qu'il accumulait les livres depuis son plus jeune âge, puisant dans les textes un questionnement sans cesse renouvelé, fuyant les réponses, poursuivant sa quête pour la beauté du voyage plus encore que pour l'horizon incertain d'une fin.

C'était un homme en marche. Sa conscience politique avait évolué d'une radicalité gauchiste en vogue dans sa jeunesse à un réformisme tempéré de gauche. Il avait enseigné en province, puis en banlieue parisienne, demandant régulièrement sa mutation au lieu d'accumuler des points validés par l'Éducation nationale. De ce fait, ses changements de postes s'apparentaient assez peu à des promotions, mais plutôt à une errance organisée à travers les lycées de France, au grand dam de ses inspecteurs qui auraient voulu lui voir prendre un poste prestigieux à la mesure de ses compétences.

Quand je fis sa connaissance, Pierre avait environ cinquante ans et enseignait depuis quelques années déjà dans le lycée où je venais d'être nommée. Il était respecté par ses collègues, aimé de ses élèves. J'aurais très bien pu ne pas le remarquer parmi la foule de nouveaux visages que je découvrais, si nous n'avions pas été désignés ensemble pour encadrer le groupe de théâtre du lycée.

Ce n'est qu'à la troisième ou quatrième rencontre avec Pierre que je m'avisai d'une caractéristique de son apparence : il s'habillait toujours en noir.

Au début, je n'y avais pas prêté attention. Non seulement le noir est une couleur commune et passe-partout, mais ses vêtements semblaient être choisis pour ne pas se faire remarquer. Un ample polo noir d'une marque inconnue, un jean noir et une veste noire recouvraient sa large silhouette, été comme hiver. Ces habits semblaient avoir été taillés sur lui ; ils portaient la marque de son corps qu'ils accompagnaient partout et en toute circonstance. Ils lui donnaient une allure bonhomme, pleine de discrétion et de pudeur. Ce signe de reconnaissance permettait souvent d'identifier Pierre de loin, ombre noire au milieu des adolescents bariolés sur la grande place devant le lycée, mais il conduisait aussi à des méprises, le confondant avec n'importe quelle figure sombre apparue à l'horizon.

Parfois, pour passer le temps lors des longues réunions de professeurs, je me lançais dans un exercice teinté d'interdit : il s'agissait d'imaginer les deux entités inséparables séparées, d'un côté le corps nu et blanc de Pierre et de l'autre la coque vide et noire de ses vêtements. Contrairement aux autres participants qui se livraient plus volontiers, bien qu'inconsciemment, à mon petit jeu, Pierre résistait tant bien que mal. Son esprit semblait proclamer sans cesse la victoire sur son corps, le recouvrant d'un voile noir qui le rendait intouchable. Quand, après des efforts d'imagination débridés, j'y parvenais enfin, je ressentais une vague déception mêlée de remords : le corps gisait d'un côté sans défense, face à la dépouille noire qui se dressait, accusatrice, dans ma conscience.

Je ne savais pas depuis quand Pierre avait pris l'habitude de s'habiller de cette façon, mais il me semblait que cela avait toujours été le cas. Parfois, je m'interrogeais sur la raison de ce comportement, sans trouver d'explication satisfaisante. Si j'avais vu par le passé d'autres hommes vêtus de la même façon, c'était souvent dans le milieu de l'art ou du spectacle, où cette attitude relevait souvent de la pose recherchée. Ce n'était pourtant pas le cas de Pierre. Il était très respecté de ses élèves, des adolescents peu enclins à tolérer l'imposture, et sa disponibilité à leur égard, alliée à un savoir qu'il avait soif de partager, lui avait gagné l'estime des plus rebelles. Son « look » avait été entériné par les adolescents eux-mêmes et faisait chaque année quelques adeptes.

Pourtant, je me demandais parfois s'il se rendait compte qu'il s'habillait toujours en noir, tant il avait l'air d'y attacher peu d'importance. Il ne s'occupait pas beaucoup de son corps en général, me semblait-il. Bien qu'il le conserve en bonne forme, comme un compagnon un peu encombrant, il considérait sans doute qu'il avait réglé la question une fois pour toutes en le recouvrant d'un voile noir, comme s'il le maintenait hors d'usage.

Peut-être portait-il le deuil ? Je l'imaginais en victime inconsolable d'un grand amour défunt. Je m'interrogeais aussi sur ses parents, qui devaient atteindre l'âge auquel il est parfois préférable de mourir. Malgré son caractère plutôt doux, je le soupçonnais de couver encore une ardeur révolutionnaire et contestataire. Il était peut-être membre d'un groupe actif, politique ou de réflexion philosophique. Pourquoi pas franc-maçon ou même curé ?

Comment réagirait-il si on lui offrait un vêtement d'une autre couleur ? Lui, si attentif à ne pas froisser inutilement autrui, accepterait-il de porter autre chose que sa tenue habituelle, ou bien remercierait-il poliment du cadeau pour le ranger illico au fond d'une armoire ?

Peut-être que son placard regorgeait de vêtements de couleurs vives accumulés au fil des ans ?

De sa vie personnelle et sentimentale, je savais peu de chose : il avait été marié autrefois, et avait deux enfants déjà grands. Il traînait une réputation de séducteur au lycée, et on croisait parfois des femmes venues l'attendre à la sortie des cours. Elles se succédaient, réapparaissaient parfois, disparaissaient à nouveau, sans qu'on puisse déterminer s'il s'agissait de vieilles connaissances, de membres de sa famille ou de tendres compagnes. Notre relation avait beau évoluer au fil des ans, sa discrétion et sa réserve sur sa vie personnelle empêchaient toute question indiscrète.

Un jour, pourtant, j'eus sans le vouloir la réponse à mes questions, et ce, de la façon la plus inattendue. Je m'étais inscrite pour les vacances de Pâques à une semaine de stage de plongée sous-marine dans une petite ville balnéaire de la Côte d'Azur. Un jour que je remontais des fonds marins avant les autres, je décidai d'aller attendre sur la plage tout proche. À 11 heures, elle était encore presque déserte, à part quelques chiens errants, et une poignée de baigneurs. Parmi ceux-ci, je distinguai la silhouette d'une femme élégante en maillot blanc, marchant au bord de l'eau. Elle fut rejointe par un homme qui lui prit la main pour l'entraîner dans les vagues. La femme résista un peu, puis se laissa convaincre par son compagnon. Mon regard s'attacha à celui-ci dont quelque chose dans la silhouette m'était familier. Cette grande taille, cette attitude un peu gauche, cette douceur dans les gestes, ce front, ce regard clair, ce sourire ! C'était Pierre, loin des murs gris du lycée, sur une petite plage de la Méditerranée, en maillot jaune !

J'étais moi-même si étonnée de la rencontre que j'hésitai un instant à quitter l'anonymat du masque et du tuba. Le petit jeu secret des longues réunions prenait forme devant moi et, contre toute attente, c'est moi qui me sentais à découvert. J'émergeai finalement des flots dans ma combinaison noire avec le vague sentiment d'entrer en terrain interdit. Pierre m'accueillit presque sans surprise, avec chaleur, et me présenta Caroline qui partageait sa vie depuis trois ans. Il m'invita à prendre un verre le soir même dans la villa qu'ils avaient louée au-dessus de la plage. Absorbée dans mes pensées, j'en oubliai de répondre : Pierre était le même, et pourtant si différent... En face de lui, dans ma combinaison de plongée, je me sentais totalement incongrue ; il me semblait que je lui avais volé sa protection habituelle. Si nous n'avions pas eu plusieurs tailles d'écart, je me serais volontiers débarrassée de ma combinaison pour la lui proposer immédiatement ! J'évitais de le regarder trop directement, fixant un point lointain sur la colline. Je prétextai un groupe de copains à rejoindre et refusai poliment l'invitation.

* *
*

Le vêtement noir est comme un écran sur lequel se projettent les suppositions et les fantasmes de la narratrice.

Interpellant le regard d'autrui, il pose une question qu'il laisse sans réponse. Dans l'histoire, rien n'est dit de la raison profonde du choix de cette couleur par Pierre, et cette énigme constitue en elle-même un début de réponse : le choix d'une tenue vestimentaire invariablement noire érige entre le sujet et les autres une distance, un écart à respecter. Le personnage de la narratrice le comprend instinctivement : bien qu'intriguée, elle respecte cette distance. Elle devine le caractère protecteur que revêt cette enveloppe aux yeux de Pierre. Cela nous apprend quelque chose de la fonction particulière du vêtement noir : en focalisant l'attention sur un aspect particulier (contestataire, endeuillé, militant, etc.), il détourne le regard du reste, et met en quelque sorte le sujet à l'abri. Il l'expose et le cache tout à la fois. De la même façon, le vêtement noir attire l'autre par l'énigme qu'il offre à son regard (pourquoi est-ce que cet homme ou cette femme s'habille en noir ?) tout en le maintenant à distance. En ce sens, le vêtement noir suscite le désir et s'y dérobe simultanément, dans un mouvement qui emprunte beaucoup à l'hystérie.

En effet, l'hystérique (homme ou femme) pose la question du désir de l'autre : « Qu'est-ce qu'autrui désire en moi ? » Il suscite la question et s'y dérobe dans le même mouvement, tout comme, à un autre niveau, le vêtement noir. Ce dernier partage en outre avec l'hystérie un côté théâtral : l'habit noir installe un personnage sur la scène de la rencontre avec l'autre. Il permet de masquer l'acteur derrière le personnage. Lorsque la narratrice est soudain placée face à la réalité, celle-ci ne coïncide pas avec ce qu'elle avait imaginé : elle est désorientée.

L'homme, ou la femme, en noir maintient une continuité dans son apparence qui témoigne de la valeur identitaire accordée à cette couleur : elle unifie et perpétue les différentes images de soi.

Les raisons conscientes et inconscientes de s'habiller en noir sont multiples et varient selon l'âge. Depuis le prétexte que cela évite de se poser des questions le matin en s'habillant, les raisons épousent des causes variables, comme les suppositions de la narratrice. Ce code vestimentaire, puisque c'en est un, fait référence le plus souvent à une attitude d'opposition, de révolte, et pour cette raison a longtemps été apprécié des adolescents, ou des mouvements de jeunes contestataires. Quand le fait de s'habiller en noir procède d'un choix singulier du sujet en dehors de toute convention sociale, on retrouve cette volonté de se tenir à l'écart du groupe, qui peut avoir chez chacun une résonance différente en fonction de son histoire.

Le fait que le noir soit dans certains pays la couleur du deuil va dans le sens d'un renoncement à participer à la vie ici-bas, en particulier à ses festivités. Certains religieux, également, portent des vêtements noirs : ce code vestimentaire revêt donc une volonté d'exclusion tout en instaurant l'idée d'une élection du sujet par rapport à la multitude.

On peut relever un autre caractère commun à l'habit du deuil et à l'habit des religieux : la volonté de maîtrise et de contrôle du corps. Il s'agit de mettre l'accent sur le spirituel, de détourner l'énergie vitale vers des buts sublimés. L'habit noir masque la dimension sexuelle du corps. Il la contrôle, comme s'il risquait d'échapper à la surveillance de la raison et la déborder par ses excès. Le noir cache l'obscénité du corps, il le voile pour éteindre le désir. Ainsi, la couleur habituelle du tchador est le noir, pour préserver la femme des tentations et éviter qu'elle en suscite. Le noir sert à endiguer les pulsions du corps, l'excitation de nature sexuelle que la rencontre pourrait faire naître. Il habille et cache la nudité, imposant un mode particulier de socialisation. L'habit noir indique donc que la relation établie est interdite de désir.

Enfin, la référence au deuil confère à la tenue vestimentaire noire un aspect mélancolique. Le personnage en noir est mystérieusement endeuillé, souvent à son insu. Sa mise témoigne de sa fidélité à quelque chose d'absent ou de disparu. La mélancolie n'est pas loin. Le noir absorbe toutes les couleurs et n'en renvoie aucune, de même le trou noir de la mélancolie absorbe l'énergie vitale et favorise le repli sur soi. L'homme en noir est à la fois présent et absent, absorbé par une cause inconnue ou une peine secrète. Le noir désigne l'ombre de quelque chose d'absent, peut-être de perdu, dont il ne peut se séparer. Habillé en noir, il affiche symboliquement l'absence.

Ainsi, l'habit noir dessine un creux au sein du personnage et laisse la place à l'imagination de l'interlocuteur, comme dans l'histoire, sans qu'aucune des tentatives d'explication ne permette de résoudre l'énigme qu'il pose.

UNE MÈRE SI CHIC
OU COMMENT SAUVER LES APPARENCES

Justine se souvenait que, dans les boutiques que fréquentait sa mère autrefois, l'ambiance était feutrée et les vendeuses discrètes. Le vaste espace ne contenait souvent que quelques portants de vêtements disposés comme des parures précieuses, taillés dans des matières nobles, destinés à des moments d'exception : tenue d'intérieur en cachemire pour le thé, manteau en brocart façon Klimt pour un vernissage, petite robe de taffetas noir impeccable pour un dîner d'affaires. Les tenues que les vendeuses leur présentaient une à une évoquaient une vie de luxe calme et lointaine, mirages de sérénité et d'harmonie auxquels Justine avait cessé de croire bien avant sa mère, Éliane. Il lui semblait que celle-ci se laissait aller à la langueur mélancolique des magasins de luxe, à l'ivresse douceâtre des soieries comme à une drogue anesthésiante et bienfaisante. La déférence polie dont on l'entourait, qu'Éliane savait pourtant proportionnelle à l'argent qu'elle dépensait depuis des années, la réconfortait.

Sa mère lui contait avec émotion son émerveillement, quand son père, voulant lui faire plaisir, l'emmenait par surprise dans un de ces magasins de luxe qu'elle n'avait pas l'habitude de fréquenter. Éliane souriait au souvenir de sa naïveté d'autrefois : elle posait des questions qui trahissaient son inexpérience, comme lorsqu'elle avait demandé si le précieux manteau que Charles voulait lui offrir était imperméable. Le vendeur avait discrètement souri en répondant : « Non, bien sûr », comme s'il avait été tout à fait incongru de vouloir se promener dans la rue avec. Bien que cette scène se soit déroulée avant sa naissance, Justine pouvait presque se la rappeler car sa mère l'avait racontée à maintes occasions comme une preuve irréfutable de l'attention et de l'amour de son mari à son égard. Peu à peu, avec les années, le placard maternel s'était transformé en une annexe de magasin de luxe où Éliane classait amoureusement ses pulls, tous en cachemire, par couleurs, ses robes par marques de grands couturiers, collectionnant les boîtes en carton Hermès pour y ranger broches et ceintures. Justine se souvenait d'y avoir mené des parties de cache-cache endiablées avec ses amies au milieu des effluves délicats et poudrés que dégageaient les vêtements de sa mère. L'élégance d'Éliane faisait l'admiration des amies de Justine ainsi que de leurs mères, qui ne manquaient pas une occasion de détailler avec envie sa tenue quand par hasard elles accompagnaient leurs filles à un goûter d'anniversaire. Cependant, Justine surprenait parfois des commentaires plus acerbes et s'éloignait en toute hâte, le cœur serré, de peur de voir se dessiner son malheur sous ses yeux. Des larmes étouffées la nuit, les yeux tristes et vides de sa mère au matin avaient suffi à ouvrir en elle une brèche qui ne se refermerait jamais plus. Peu de temps après, son père, déjà distant, disparut complètement par un froid matin d'hiver sans crier gare. Ce fut comme un courant d'air glacé dans leur vie, absurde et saisissant. Sa mère vieillit d'un coup et son beau visage garda la trace de ses larmes.

Pour tromper son ennui, Éliane se lançait encore de temps en temps dans une après-midi de shopping avec ses amies, mais elle parvenait difficilement à trouver quelque chose qui lui plût. En revanche, entraînée par l'exemple de certaines femmes qui partageaient avec leur propre fille une garde-robe fournie, elle était souvent tentée par l'achat d'un joli vêtement pour Justine, alors adolescente. Mais Justine était différente des autres et les cadeaux de sa mère tombaient presque toujours à plat, faisant naître entre elles une muette mélancolie qui dépassait de beaucoup la déception causée par le présent.

Bien des années plus tard, Éliane perdit la tête et la dame de compagnie qui s'occupait d'elle à domicile ne parvint plus à faire face aux soins qu'elle exigeait. Justine, devenue à son tour mère de famille et occupée par son travail, n'eut d'autre solution que de lui trouver une maison de retraite adaptée, le plus proche possible de son domicile. Elle y allait chaque dimanche pour lui rendre visite, et l'accompagnait dans le parc lorsque le temps le permettait. Le dimanche, les vieilles dames étaient disposées en cercle dans le salon, attendant d'éventuels visiteurs. Certaines ne recevaient jamais personne, mais les brumes de leur esprit les protégeaient d'un chagrin trop violent. Elles renfonçaient leur menton dans leurs vieilles chemises de nuit tachées, absorbées par le souvenir d'un passé plus heureux. Il y avait longtemps déjà qu'elles ne s'habillaient plus pour personne, encore moins pour elles-mêmes, leurs journées se succédaient dans une continuité mélancolique, tendues vers l'attente de la fin. Elles avaient baissé les bras et se maintenaient dans les limbes nuageuses dont leur esprit avait définitivement épousé la forme. Le temps avait oublié pour elles les mélodies des joies et des tristesses, les infinies variations des sentiments et ne jouait plus à leurs oreilles qu'une seule et même note, ténue, fragile, en attente du soupir.

D'autres vieilles dames, plus chanceuses, recevaient encore des visites, à en croire les chandails, les écharpes ou les pantoufles neufs qu'elles arboraient maladroitement. Ils étaient souvent enfilés de travers et les couleurs étaient mal assorties. Justine avait le cœur serré devant ces femmes qui ne ressemblaient plus à ce qu'elles avaient été, ou si peu qu'il fallait parfois à leurs proches une attention minutieuse pour retrouver chez elles un trait, une attitude qui leur étaient familiers autrefois. Elle veillait avec soin à ce que sa mère soit correctement vêtue, comme elle avait toujours aimé l'être. Elle insistait jusqu'à lui faire porter des chaussures, même en hiver lorsqu'elle ne sortait jamais, à la place des éternels chaussons qu'elle ne voulait pas quitter, peinant pour faire entrer ses pieds déformés dans des chaussures confortables mais fines. Justine espérait qu'ainsi sa mère oublierait moins vite les bribes de sa vie passée et la femme qu'elle avait été. Pourtant, à chaque fois qu'elle quittait le salon où elle la raccompagnait après leur promenade, elle l'entendait s'adresser à une de ses voisines : « Mais qui est donc cette dame élégante qui s'en va ? »

* *
*

Pour Éliane, les habits de luxe que lui offrait son mari étaient la preuve de son amour pour elle. Plus le prix en était élevé, plus il lui semblait qu'il lui accordait d'attention et d'amour. L'histoire maintes fois évoquée du manteau luxueux fait figure de scène amoureuse, voire sexuelle, où la femme est initiée à une pratique qu'elle ne connaît pas encore (les magasins de luxe) et quelque chose est échangé entre les deux époux. Dès lors, le vêtement se charge chez Éliane d'autres significations. En effet, si elle a besoin de voir se matérialiser les sentiments de son mari à travers les vêtements, c'est peut-être parce qu'elle n'est pas très sûre du lien qui les unit. Peut-être parce que son mari s'est effectivement détaché d'elle et qu'elle le ressent, ou bien parce qu'elle ne peut éprouver la force d'un lien à l'autre, ne l'ayant jamais connu par le passé. Il arrive ainsi que des individus fragilisés par une relation manquée au premier objet d'amour (la mère) aient par la suite besoin de preuves concrètes des liens qui les unissent aux autres. Ce sont ceux-là qui réclament des « preuves d'amour » tangibles.

D'autre part, le vêtement de luxe constitue pour Éliane une sorte d'armure protectrice contre les malheurs de la vie, cuirasse qui se révélera bien illusoire avec le temps. Ses tenues chic la valorisent aux yeux des autres, tout en cachant ses failles. En adoptant une perspective plus lacanienne, on pourrait dire qu'Éliane reçoit de son mari, à travers les vêtements de luxe, une partie de sa puissance : c'est-à-dire, métaphoriquement, le phallus. Elle se trouve alors transformée en femme phallique, puissante, invincible, et c'est cela qu'elle ne peut perdre sans sombrer dans la dépression.

Petits phallus, preuves d'amour ou matérialisation du lien, le placard d'Éliane contient bien autre chose que des vêtements, et sa fille Justine ne s'y trompe pas, puisqu'elle adore y jouer.

Quand Éliane se retrouve seule, elle ne parvient plus à acheter des habits pour elle-même : son mari parti, les preuves de son amour s'évanouissent à leur tour. Le vêtement joue alors un nouveau rôle entre la mère et la fille. Éliane préfère acheter des tenues pour sa fille adolescente que pour elle-même, témoignant ainsi de son affection pour Justine, mais aussi de l'utilisation qu'elle fait inconsciemment de sa fille comme un double d'elle-même, dans un moment où elle se sent fragilisée.

Le comportement d'une mère et de sa fille partageant la même penderie est un phénomène très contemporain encouragé par la publicité. Il s'appuie sur le mythe de l'éternelle jeunesse et la confusion des générations : il n'y aurait aucune différence entre mère et fille, doubles narcissiques l'une de l'autre. La mère éternellement jeune, qui refuse de vieillir, ne cède en rien la place à sa fille, souvent précocement femme, dans laquelle elle cherche à se reconnaître. L'éternel recommencement du même, fantasme narcissique, permet de tenir tête aux ravages du temps. La différence des générations s'efface pour laisser face à face deux femmes exagérément complices, qui évacuent par ce biais leurs sentiments de rivalité. Les filles ont d'ailleurs parfois bien du mal à se dégager de cette situation, qui présente l'avantage de maintenir un lien très fort à la mère en faisant l'économie de la rivalité, mais aussi de retarder le travail de séparation et d'individuation nécessaire à l'adolescence.

Pour Justine, la situation est un peu différente : elle n'a pas les mêmes goûts que sa mère, marquant déjà ainsi la séparation des générations. Cependant, la mélancolie qui les saisit toutes les deux devant les cadeaux ratés d'Éliane révèle leur nostalgie d'un état où les attentes de l'une correspondaient totalement aux attentions de l'autre, dans une complémentarité fusionnelle. L'incapacité à satisfaire l'autre marque pour toutes les deux les prémices d'un écart dans leur relation. Il s'agit pourtant d'une séparation bénéfique grâce à laquelle la fille construira son autonomie par rapport à sa mère.

Bien des années plus tard, les rôles se sont inversés : la fille s'occupe de sa mère, placée en maison de retraite. L'habit adopte alors une nouvelle fonction. À ces personnes âgées menacées par l'oubli d'elles-mêmes, le vêtement maintient le souvenir de ce qu'elles ont été ; il témoigne du regard toujours présent de l'autre sur elles, qui agit comme un fixateur extérieur du récit de leur vie. Dans un corps meurtri par la vieillesse et la maladie, il arrive que le sentiment de déchéance soit si fort qu'il conduise l'individu à abandonner la lutte pour la vie, dans un « syndrome de glissement » familier de ceux qui s'occupent de vieillards. Les soins quotidiens du corps et une tenue vestimentaire correcte sont des adjuvants essentiels dans la prise en charge physique et morale des personnes âgées. L'habit permet de conserver une dignité précieuse à cette période de l'existence. Il lutte contre les trahisons du corps qui se dérobe chaque jour davantage. Il permet de l'inscrire dans le cycle de l'éternel recommencement des jours, grâce au rituel quotidien de la toilette et de l'habillement. Ceux qui restent en pyjama ou en chemise de nuit (les dépressifs mais aussi parfois les très jeunes enfants ou les vieillards) ne sont pas de plain-pied dans la vie, s'en retirent ou n'y sont pas encore tout à fait entrés. Par ailleurs, la négligence de l'hygiène corporelle est souvent le signe d'un mouvement dépressif qui s'inscrit dans le cadre d'une démission générale face à l'existence. Elle doit toujours être prise en compte chez les personnes âgées.

Ainsi, d'un coup d'œil rapide, Justine constate l'attention portée aux vieilles dames de la maison de retraite ainsi que leur état psychique grâce à la composition de leur tenue vestimentaire. Tout se passe comme si, à cet âge, le vêtement devenait davantage signifiant : il révèle les soins portés à la personne, mais reflète aussi un peu de son état mental.

Si la fille tient à ce que sa mère soit bien habillée, c'est certainement pour toutes ces raisons, mais aussi probablement pour conserver une image de sa mère fidèle à celle du passé. Le vêtement se dresse alors contre le temps et l'oubli. Qui est cette jeune femme élégante qui s'éloigne de la vieille dame ? Est-ce la fille, ou bien n'est-ce pas plutôt la mère elle-même qui, sans le savoir, prend congé d'elle-même ?

TABLE DES MATIÈRES

REMERCIEMENTS

Avec tous nos remerciements à ceux
qui ont accompagné ce livre : Vincent et Bruno,
Elyette et Laure S., Jacques, Sylvie, Sandra.

Ce volume a été composé
par IGS-CP

Lightning Source UK Ltd.
Milton Keynes UK
UKHW020805060821
4336UKFR00013B/470